Francisco de Rojas Zorrilla

LUCRECIA Y TARQUINO

Francisco de Rojas Zorrilla

LUCRECIA Y TARQUINO

Edited
with an Introduction and Notes
by

Raymond R. MacCurdy

Together with a Transcription of

Agustín Moreto y Cabaña

BAILE DE LUCRECIA Y TARQUINO

THE UNIVERSITY OF NEW MEXICO PRESS

ALBUQUERQUE

COMPOSED, PRINTED AND BOUND

AT THE UNIVERSITY OF NEW MEXICO PRINTING PLANT

ALBUQUERQUE, NEW MEXICO, U.S.A.

Library of Congress Catalog Card Number 62-18560

First Edition

TO MY PARENTS

CONTENTS

PREFACE

No major dramatist of Spain's Golden Age has suffered greater neglect in the twentieth century than Francisco de Rojas Zorrilla. In 1955 the Biblioteca Nacional in Madrid listed among its holdings 213 editions of plays or collections of plays attributed to Rojas. Of this number only fourteen were published since 1900, and of the fourteen, six are editions of *Del rey abajo, ninguno* and five of *Entre bobos anda el juego*. Actually, most of these so-called "editions" are no more than reprintings of earlier editions. The three other reedited plays are *El amo criado*—known also as *Donde hay agravios no hay celos* (Madrid, 1911)—and *Cada qual lo que le toca* and the *auto sacramental, La viña de Nabot,* edited by Américo Castro and printed together in volume II of the *Teatro antiguo español* (Madrid, 1917).

Nor have Rojas' plays enjoyed prosperity elsewhere. The catalogue of the British Museum lists among its holdings only one twentieth-century edition out of 158 editions of all his plays: *García del Castañar* (alternate title of *Del rey abajo, ninguno*), edited by J. W. Barker (Cambridge, 1935). In Germany, once a thriving center of Spanish studies, Herbert Koch's edition of *Los bandos de Verona* was published in Halle in 1953. To these school texts we may add two others published in the United States: Nils Flaten's edition of *Del rey abajo, ninguno* (New York, 1939) and Hymen Alpern's and José Martel's text of the same play in *Diez comedias del siglo de oro* (New York, 1939). Even if we include Isaac Goldberg's translation, *None beneath the King* (Girard, Kansas, 1924), we can hardly speak of a Rojas revival in our time.

There are various reasons for the decline in interest in Rojas. He is commonly regarded as a very uneven dramatist whose chief merits are to be found in one or two masterpieces such as *Del rey abajo, ninguno* (although I have questioned elsewhere the authorship of this play upon which his reputation largely rests).[1] Unlike most major Golden Age dramatists whose plays have been the subject of constant investigation and revaluation, Rojas has not been

---

[1] See my note, "Francisco de Rojas Zorrilla," *Bulletin of the Comediantes*, IX (Spring, 1957), 7-9.

so fortunate. If only a few of his plays have been reedited, even fewer have been revaluated in accordance with modern critical methodology. But perhaps the most persuasive reason of all is the fact that several of Rojas' better plays are virtually inaccessible, not having been reprinted since the seventeenth century. Such a play is *Lucrecia y Tarquino*.

Only two copies of Rojas' *Lucrecia* are known to exist. So little known is the play that it is not mentioned in an article of 1951 purporting to study the treatment of the theme of Lucretia and Virginia in Golden Age drama.[2] My purpose in offering this edition is to make available a play which, to my mind, not only has great intrinsic merit but one which must be reckoned with in any attempt to revaluate Rojas' production. One might also look upon it as something of an answer to those who have contended that Spaniards could not, or would not, address themselves to secular tragedy with universal themes.

In the preparation of the edition I have followed most of the practices and procedures now accepted as "standard" in editing *comedias* from printed texts. The spelling has been modernized (except where pronunciation would be affected), as have the punctuation, capitalization and accentuation. Brackets are used to indicate emendations and additions, except in the case of characters' names which are spelled out. Words separated into etymological parts in the *suelta* but written together in modern practice are joined with an oblique line (/) to indicate the original reading; for example, *a diós* in the text is rendered *a/diós*.

The Notes are devoted chiefly to the identification of proper names, to the indication of parallels between Rojas' play and other treatments of the theme of Lucretia, to commentary on ideas, expressions and usages characteristic of Rojas, and to the definition of words whose meanings are not recorded in modern dictionaries, or which offer special interest. Space limitations have made it necessary to eliminate from the Notes explanations of widely-current seventeenth-century meanings, such as *razón*, "speech," *acero* and *hierro*, "sword," *opinión*, "reputation," etc. Similarly, the modern equivalents of common archaisms such as *mesmo (mismo)*, *escuro (obscuro* or *oscuro)*, *ansí (así)* and *priesa (prisa)* have been omitted. However, since the edition was originally prepared as a school text, some notes designed primarily for students have been retained, and explanations are given or translations suggested for passages

---

[2] H. Petriconi, "El tema de Lucrecia y Virginia," *Clavileño*, II (1951), 1-5. To my knowledge, the first study to make use of Rojas' *Lucrecia* is Kathleen Gouldson, "Religion and Superstition in the Plays of Rojas Zorrilla." *Spanish Golden Age Poetry and Drama.* Liverpool Studies in Spanish Literature, 2nd series. Edited by E. Allison Peers (Liverpool, 1946).

which seem especially difficult. Also explanations are given for usages which, although not uncommon in the Golden Age, are notable for their recurrence in Rojas' production or in this play. It is hoped that no significant passages have been overlooked and that no difficulties of vocabulary or usage have been left unannotated.

Because of the obscurity in which the play has long been shrouded, certain introductory material has been given special attention. The sources are studied in detail because Rojas' primary source happens to be a rare translation (itself of difficult accessibility), the authorship of which raises several provocative questions. Since no history of criticism has built up around the play, it is analyzed at some length. The analysis incorporates some material from my monograph *Francisco de Rojas Zorrilla and the Tragedy*, but the criticism has been rewritten.

I have also included as an Appendix a transcription of a manuscript of *El baile de Lucrecia y Tarquino*, a burlesque by Rojas' contemporary, Agustín Moreto y Cabaña, which has not been previously printed.

Several persons have contributed generously to the preparation of this edition. Professors Carlos Ortigoza Vieyra, Rudolph Cardona, and Dorothea Powers read the manuscript and made helpful suggestions. Professor Robert J. Carner furnished me with information on Moreto's *Baile de Lucrecia y Tarquino*, and Mrs. Joyce Carlson assisted in the transcription of the manuscript of the *baile*. Professor Fred W. Jeans kindly lent me a copy of his unpublished doctoral dissertation, "An Annotated Critical Edition of Rojas Zorrilla's *Peligrar en los remedios*," which is the most thorough edition yet made of one of Rojas' plays. Miss Marian Gates typed the manuscript, and Mr. Roland Dickey and his efficient staff at the University of New Mexico Press rendered cheerful help in getting the manuscript into print. The Research Committee of the University of New Mexico provided funds for the acquisition of materials and clerical assistance. Finally, various anonymous readers for the University Press read the manuscript and made valuable suggestions. To all these persons I am sincerely grateful.

RAYMOND R. MacCURDY

Albuquerque, New Mexico

ABBREVIATIONS

Acad. N.	*Real Academia Española. Obras de Lope de Vega (Nueva edición).* 13 vols. Madrid, 1916-1930.
BAE	*Biblioteca de Autores Españoles.*
Bello-Cuervo, *Gramática*	Andrés Bello, *Gramática de la lengua castellana, con notas de* Rufino José Cuervo, Paris, 1916.
B. M.	British Museum (London).
B. N.	Biblioteca Nacional (Madrid).
Clás. Cast.	*Clásicos Castellanos* (Ediciones de "La Lectura").
Correas	*Vocabulario de refranes y frases proverbiales . . . que juntó el Maestro Gonzalo Correas.* 2nd edition. Madrid, 1924.
Covarrubias	Sebastián de Covarrubias Orozco, *Tesoro de la lengua castellana,* Madrid, 1611.
Dicc. Ac.	*Real Academia Española. Diccionario de la lengua española. Décimaoctava edición.* Madrid, 1956.
Dicc. de Aut.	*Real Academia Española. Diccionario de la lengua castellana.* 6 vols. Madrid, 1726-1739.
Hanssen, *Gramática histórica*	Federico Hanssen, *Gramática histórica de la lengua castellana,* Buenos Aires, 1945.
Lucrecia	Rojas' *Lucrecia y Tarquino,* as presented in our text.
NBAE	*Nueva Biblioteca de Autores Españoles.*
Primera parte	*Primera parte de las comedias de Don Francisco de Rojas Zorrilla,* Madrid, 1640.
Ramsey-Spaulding	Marathon Montrose Ramsey, *A Textbook of Modern Spanish,* revised by Robert K. Spaulding, New York, 1956.
Segunda parte	*Segunda parte de las comedias de Don Francisco de Rojas Zorrilla,* Madrid, 1645.

INTRODUCTION

HISTORY OF THE PLAY

Spaniards, whether they are the creators or the custodians of culture, have never been overzealous about safeguarding their nation's art. So it is that of the vast number of Golden Age plays written to satisfy a voracious public, a large percentage has been lost. In many instances, however, the titles of lost plays are known through various sources: booking contracts, notices of performances, lists compiled by dramatists themselves, etc. Lope de Vega, for example, included in the first edition of his *Peregrino en su patria* (Seville, 1604) the titles of 219 of his *comedias,* many of which no longer survive. The sixth edition (Madrid, 1618) added 114 new titles. But in the case of Rojas we are not so fortunate. Apart from the extant plays printed under his name (many erroneously), only a few lost plays are known by title. Contemporaneous references to performances of his *comedias* are few, even though chroniclers mention an occasional play among the entertainment provided to amuse Philip IV and his queen. But there is no such mention of *Lucrecia y Tarquino*—or none that I have found. Nor is there mention of it in the repertories of the companies which performed in the public theaters of the court and the provinces. The seventeenth century is strangely silent about Rojas' tragedy.

Rojas' authorship of a play on Lucretia was first made known to modern scholars through an advertisement in the catalogue of a Madrilenian bookseller: Francisco Medel, *Índice general alfabético de todos los títulos de comedias que se han escrito por varios autores antiguos y modernos . . .* (Madrid, 1735).[3] However, since twenty-five of the plays attributed to Rojas in Medel's catalogue have either proved to be apocryphal or have disappeared, his authorship of *Lucrecia y Tarquino* was necessarily suspect. Only the text of the play itself could dispel the doubts, but it seems to have disappeared as sud-

---

[3] Medel's list of titles has been edited by J. M. Hill and reprinted in the *Revue Hispanique,* LXXV (1929), 144-369.

denly as it was advertised for sale. Although many of Rojas' plays were reprinted in the eighteenth century—and several were staged either in their original form or as *refundiciones*—*Lucrecia y Tarquino* was lost from sight. As we shall later see, Nicolás Fernández de Moratín seems to have been unaware of its existence (or to have ignored it) when writing his own *Lucrecia* (1763).

Nor was Rojas' tragedy known to Spanish scholars in the nineteenth or early twentieth century. In the introduction to his edition of Rojas' *comedias* in volume LIV of the *Biblioteca de Autores Españoles*, Ramón de Mesonero Romanos lamented the loss of *Lucrecia* among other plays:

> A este suplemento me ha obligado también la sensible carencia de otros dramas de nuestro Don Francisco que, aunque figuran en los catálogos, no he conocido ni podido haber a las manos, ya por no haber llegado hasta nosotros, ya por no tropezar con ellos en ninguna de las bibliotecas que he consultado; tales son *Lucrecia y Tarquino, Numancia destruída* (que suponen dos dramas de excelente argumento trágico) . . . y alguna otra cuyo expresivo título me hace sospechar que no serían de las inferiores de Rojas, y que hubieran ocupado dignamente un lugar en esta Colección (p. xviii).

We can only conjecture whether an acquaintance with *Lucrecia y Tarquino* would have caused Mesonero to withdraw his refutation of the preeminence in Golden Age tragedy accorded Rojas by previous critics.

By far the most complete reference work on Rojas is Emilio Cotarelo y Mori, *Don Francisco de Rojas Zorrilla, noticias biográficas y bibliográficas* (Madrid, 1911), but with regard to *Lucrecia* Cotarelo says only: "Es hoy desconocida" (p. 177). Several years later Américo Castro made a study of Rojas' attitude toward feminine honor,[4] but there is no mention of the tragedy which could have provided him with so much material on that subject. Finally, upon the publication of the second revised edition of A. Paz y Melia's *Catálogo de las piezas de teatro de la Biblioteca Nacional* (2 vols.; Madrid, 1934-35), hope for the reappearance of a manuscript of Rojas' play received new impetus. But the manuscript (No. 12974[46]) tentatively identified by Paz y Melia (I, 318) as *Lucrecia y Tarquino* proved to be no such thing. Rather, this play deals exclusively with events subsequent to the rape of Lucrecia, and, as will be shown later, there is no reason to believe that Rojas had a hand in its composition.

---

[4] In his edition of Rojas' *Cada qual lo que le toca*, Vol. II of *Teatro antiguo español* (Madrid, 1917).

Despite the long silence about Rojas' play, two copies of the same edition (a *suelta* without place or date) are known to exist: one is located in the British Museum, the other in the Biblioteca Nacional in Madrid. The surprising thing is that the play should have escaped the attention of scholars so long, since the British Museum has had its copy since 1851 when it was purchased, together with several hundred other Spanish plays, from a man named Southern (probably Henry Southern, who was the English Ambassador in Spain in the 1830's).[5] My efforts to learn when and where the Biblioteca Nacional got its copy were fruitless, although library officials thought that it was acquired during the 1930's. This seems to be a reasonable assumption, since the play was not available to Cotarelo or Castro when they made their studies of Rojas.

THE *SUELTA*

Since no other manuscripts or editions of Rojas' tragedy have come to light, the present edition is based entirely on the copies of the *suelta* in the B.N. and B.M. There can be no doubt that the two copies are of the same edition. They have the same format, the same type, the same printing characteristics, and, of course, the same typographical errors. There is no title page, the title and the list of characters being given on the first page of text. The thirty-two pages of text are unnumbered except for the irregular designation of some signatures (A, A2, B2, C, C2, D and D2). Several complete lines at the top and bottom margins, and several words at the right margin, are missing from the B.N. copy because of the erring shears of a careless binder. Fortunately, however, all but two or three of the wanting verses (all of which are indicated in the Notes) can be restored by the B.M. copy. The latter, in turn, has two blank folios, C2 *verso* and C3 *recto*. As Professor Fred W. Jeans has pointed out in his edition of Rojas' *Peligrar en los remedios* (p. 460), there is also reason to believe that the text of the *suelta* of *Lucrecia* has been cut. The second act consisting of only 568 verses is one of the shortest of Rojas' production, and the total number of 2165 verses makes the text of *Lucrecia* next to the badly mutilated *La vida en el ataúd* and *Primero es la honra que el gusto* in brevity. However, it is impossible to indicate precisely where deletions in the original text were made. Apart from these defects, both copies are in fairly good condition and, as *sueltas* go, relatively free of typographical errors.

---

[5] For this information I am indebted to Mr. J. L. Wood, Assistant Keeper of the Department of Printed Books of the British Museum.

Since there is nothing in the *suelta* itself to indicate the place or date of publication, the B.N. has listed its copy as *"Lucrecia y Tarquino. Comedia famosa.* —s. l.—s. a." On the other hand, the B.M. copy is catalogued: *"Lucrecia y Tarovino* (sic) *Comedia famosa.* (Madrid? 1700?) 4°." The tentative place and date given here are, at best, an informed guess.

DATE OF COMPOSITION

Although there are no means by which we can date Rojas' tragedy precisely, the *terminus a quo* is definitely fixed by the date of publication of its principal source: *Tarquino el Soberbio,* Francisco Bolle Pintaflor's Spanish translation (first printed in Madrid in 1635) of the Marquis Virgilio Malvezzi's *Tarquino Superbo.*

Theoretically at least, Rojas could have composed his tragedy any time between 1635 and 1648, although no authentic play of his is known to have been written after 1640. Beyond these dates we cannot speak with certainty. The verse distribution (to be considered later) does not help. The metrical forms employed in Rojas' dated plays, from the beginning of his career to the end, fall—with few exceptions—into a fixed pattern. All we can say is that the verse of *Lucrecia y Tarquino* conforms to the pattern. Nor are there any allusions in the play which enable us to fix the date. The *comedia de repente* (a burlesque of the mythological Golden Apple contest) included in the second act would seem to offer a lead, since it is a part of the festivities to celebrate King Tarquin's birthday and could conceivably refer to the Spanish monarch's birthday; but apart from the fact that Philip IV would not be flattered by being linked with Tarquin, to which of his birthdays, to which year, could it refer? There is presently no way of knowing. We shall have to discover additional evidence before we can assign a definite date to the play.

SYNOPSIS OF THE PLAY

ACT I

After his seizure of Rome in which only the life of Bruto was spared (because he pretended to be mad), King Tarquino orders Colatino to press the campaign against Ardea, and he sends Sexto to win the confidence of the Gabini by pretending he has rebelled against his father.

Accompanied by Bruto, Colatino goes to take leave of Lucrecia. Their farewell is laden with foreboding when a white dove pierced by an arrow falls at Colatino's feet. Although Colatino has previously scorned Bruto's "mad" warnings to beware of the Tarquinos, he is now visibly shaken.

Sexto Tarquino is accepted by the Gabini as a brother-in-arms when he succeeds in convincing them that he has turned against his father.

ACT II

Having returned to Tarquino's camp to secure his advice, Sexto summons a musician who sings of the virtue and fidelity of Dido. The song provokes a debate among Acronte, Tito and Colatino over the merits of their wives. Disregarding Bruto's rebuke, the men agree to return to Rome to hold a contest among the women. Sexto Tarquino volunteers to act as judge.

Arrived at the court, Acronte and Tito are chagrined to find their wives amusing themselves at a festival in which a burlesque of the mythological contest to determine the fairest of the goddesses is being held. The men proceed to Colatino's home where Lucrecia is lamenting the absence of her husband. Sexto Tarquino does not hesitate to declare her the winner of the contest, and so fascinated is he by her beauty that he drops and breaks a refreshment glass. Disturbed by this omen, Colatino persuades Sexto that they must return to their stations.

ACT III

In the camp of the Gabini, where he is now supreme commander, Sexto Tarquino orders Cloanto executed for opposing his highhanded ways. He then resolves to return to Lucrecia's home, but in order to insure that Colatino will be safely out of the way, he first sends a message asking his father to send Colatino with a body of troops to keep watch over the rebellious Gabini. Colatino is relieved to hear that the prince is occupied with his subjects, but he decides to pass by his home on the way to Gabii.

Accompanied by Pericles and Fabio, Sexto Tarquino arrives at Lucrecia's home. She gives him lodging for the night but rejects his advances. Meanwhile Colatino is seized by apprehension as he muses upon the omen of the wounded dove. Soon afterwards, Sexto Tarquino emerges from Lucrecia's bedroom, revealing to his companions that she fainted when he tried to force himself upon her and that he ravished her unconscious body.

Colatino and the other characters arrive to find the house in darkness. Lucrecia then appears, dagger in hand, and tells her relatives of the catastrophe which has befallen her. Insisting upon her innocence but affirming that only she can redress the outrage to her honor, Lucrecia turns the dagger upon herself.

Bruto speaks the final lines in which a second part is promised.

VERSIFICATION

Rojas, even less than most of his contemporaries, seldom saw fit to employ all the metrical forms recommended for various kinds of dramatic speeches by Lope de Vega in his *Arte nuevo de hacer comedias* (1609). Let us quote once again Lope's often cited verses (vv. 305-312):

> Acomode los versos con prudencia
> a los sujetos de que va tratando.
> Las décimas son buenas para quejas;
> el soneto está bien en los que aguardan;
> las relaciones piden los romances,
> aunque en octavas lucen por extremo.
> Son los tercetos para cosas graves,
> y para las de amor las redondillas.[6]

Of the twenty-four plays in the two *Partes* of Rojas' *comedias*, only two (*Persiles y Segismunda* and *Lo que son mujeres*) contain sonnets; one (*Nuestra Señora de Atocha*) contains *octavas reales;* none has tercets. But for those speeches (and others) for which Lope would have the dramatist use these three verse forms, Rojas generally employed one substitute: *silvas.* Otherwise he often followed the formula, although he did not limit his use of *romance, redondillas* and *décimas* to those functions prescribed by Lope. He employed them much more broadly.

Not only do the metrical forms used in *Lucrecia* serve the same functions they do in the majority of Rojas' plays but they also adhere to his characteristic

---

[6] All quotations from *El arte nuevo* are from H. J. Chaytor, *Dramatic Theory in Spain* (Cambridge, 1925), but I have modernized the spelling and accentuation.

pattern of verse distribution. *Romance* (which averages 64 percent in the twenty-four plays in the two *Partes*) constitutes 51.13 percent of the verse in *Lucrecia.* It is used for narrative speeches, for ordinary conversation, both humorous and serious, for songs, for a brief monologue, for debate. It is not used at the beginning of any act but closes all three. Of the seven combinations of assonance employed, only two are notable for providing audible effects which harmonize especially well with the dramatic situation or the speaker's emotional state. The lilting *i-o* assonance of the verse in Colatino's warm tribute to Lucrecia (vv. 870-886, "Quien a Lucrecia no ha visto . . .") reflects something of his exhilaration in speaking of his wife. And, in marked contrast, the deep rounded tones of the *o-o* combination in Lucrecia's final speech harmonize well with the grief expressed in her lament.

As in most of Rojas' plays, *redondillas* are the second most widely used verse form in *Lucrecia,* constituting 36.77 percent of the verse. They are employed for ordinary conversation, for the relation of anecdotal material (for example, Tarquino's anecdote of Periandro and Trasibulo, vv. 787-842), and for a series of debates. A good example of the latter is the heated exchange between Sexto Tarquino and Lucrecia which becomes a battle of words in fast-moving stichomythic dialogue (vv. 1838-1977). Finally, *redondillas* are used in Sexto Tarquino's narrative speech (vv. 1994-2061) in which he tells of his rape of Lucrecia, and to introduce the final scene before Lucrecia relates her catastrophe. *Redondillas,* which are used at the beginning of Acts II and III, may be said to clothe and pace the terse language of debate in this play.

Earlier it was said that Rojas tended to assign to the *silva* those verse functions which Lope prescribed for the sonnet, *octavas reales* and tercets. This is also the case in *Lucrecia,* in which the 8.86 percent of *silvas* is somewhat lower than the average of this meter in his other plays. Act I opens with *silvas* in which Sexto Tarquino first, then Colatino, relate in rather rhetorical and, at times, gongoristic terms their martial victories. The solemnity of the verse fits the high seriousness of the narrative—narrative for which Lope would have used *romance* or, perhaps, *octavas reales.* Again *silvas* are used in Cloanto's exhortation (vv. 599-638) in which he gravely urges his countrymen to beware of Tarquino. Finally, no further use of *silvas* is made until Act III when, in sharp contrast to the preceding rapid dialogue between Sexto and Lucrecia, Colatino pronounces a soliloquy (vv. 1978-1993) brooding with presentiment, as he muses upon the omen of the wounded dove. Here, as in most of Rojas' tragedies, *silvas* are charged with invoking the mood of tragedy immediately prior to the final catastrophe.

Nowhere else does Rojas comply more fully with Lope's dictum on versification than he does here in his use of *décimas*. "Las décimas son buenas para quejas," said Lope. Fittingly, in the single occurrence of this metrical form in the play (vv. 1768-1837), Lucrecia complains to her father of Colatino's folly in bringing Sexto Tarquino to their home.

These verse forms—*romance, redondillas, silvas* and *décimas*—are the four meters characteristic of the great majority of Rojas' plays. Any other metrical form which creeps into a play is gratuitous. Any play that lacks one of these forms (except *décimas,* which are not contained in five of the *comedias* in the *Partes*) must be considered of doubtful authenticity.

DISTRIBUTION OF VERSE FORMS

Act	Inclusive Lines	Verse Form	Total Lines
I	1—8	*Silvas (pareados)*	8
	9—136	*Silvas*	128
	137—444	*Redondillas*	308
	445—598	*Romance (a-e)* vv. 482 and 550 *(a-i)*	154
	599—638	*Silvas*	40
	639—786	*Romance (e-o)*	148
II	787—842	*Redondillas*	56
	843—854	*Romance (a-o)*	12
	855—968	*Romance (i-o)*	114
	969—1024	*Redondillas*	56
	1025—1104	*Romance (e-e)*	80
	1105—1132	*Redondillas*	28
	1133—1354	*Romance (i-a)*	222
III	1355—1494	*Redondillas*	140
	1495—1767	*Romance (e-a)* (one extra verse)	273
	1768—1837	*Décimas*	70
	1838—1977	*Redondillas*	140
	1978—1993	*Silvas*	16
	1994—2061	*Redondillas*	68
	2062—2165	*Romance (o-o)*	104

SUMMARY OF VERSE DISTRIBUTION

Verse Form	Total No. of Lines	Percentage
Romance	1107	51.13
Redondillas	796	36.77
Silvas (including pareados)	192	8.86
Décimas	70	3.23
	2165	99.99

SOURCES

Upon the occasion of her death Lucretia used different words but meant the same thing as Hamlet did when he bade Horatio,

> And in this harsh world draw thy breath in pain
> To tell my story.

Lucretia has not lacked tellers of her story. Historians and poets of antiquity, medieval and Renaissance champions of women, and modern writers of tragic or edifying bent have ever sought to communicate the pathos of her unmerited death.[7] Rojas had a lot of material to choose from when he took up the task, but we need mention only a part of it.

One of the earliest historians to dwell upon Lucretia's tragedy was Dionysius of Halicarnassus (died c. 8 B.C.), who devoted several chapters to her and the Tarquins in the fourth book of *The Roman Antiquities*. This work became the source of many subsequent writings on Lucretia, including the first Spanish play based on her outrage, Juan Pastor's *Farsa o Tragedia de la castidad de Lucrecia*. We shall have more to say later about Juan Pastor's play and his debt to Dionysius. But what about Rojas? There is in his tragedy a limited amount of material, particularly anecdotal material on the Tarquins, which could have come ultimately only from Dionysius, but the chances are that Rojas did not utilize *The Roman Antiquities* directly. This will become clear when we examine Rojas' indebtedness to Virgilio Malvezzi, whom he con-

---

[7] But for an excellent account of sixteenth and seventeenth-century Spanish writers who, following the lead of Saint Augustine, took an unsympathetic, and even cynical, attitude toward Lucretia and her self-destruction, see Joseph E. Gillet, "Lucrecia—necia," *Hispanic Review*, XV (1947), 120-36.

sistently follows in quoting and misquoting Dionysius. We can only say that if Rojas had read Dionysius his memory was not reliable.

It is highly probable, however, that Rojas had read Titus Livy (59 B.C.-17 A.D.), whose *History of Rome* (or *Décadas*) was accessible to him in several Spanish translations. Livy's work had long been the vademecum of all those who delved into Roman history, and to it most of Rojas' foreign contemporaries or near contemporaries—Shakespeare, Thomas Heywood, Pierre Du Ryer, etc.—were chiefly indebted for their historical facts on the rape of Lucretia. It seems unlikely that Rojas would have ignored this important source (which was, moreover, standard reading for Spanish university students). The fact is, however, that Rojas' adherence to Malvezzi's account is so close that his debt to Livy could only be a very general one. It is true that the sequence of events in Book I of Livy's history (and, particularly, those in Chapters LIII-LVIII) corresponds rather closely to the sequence of action in Rojas' play (especially in Act II), but the arrangement of incidents in Malvezzi's text reveals an even greater parallel to the play. I think we may assume that Rojas had read the *Décadas* (perhaps several years before writing his tragedy), that he gathered from them general historical information, but that the immediacy of Malvezzi's influence left no room for the particulars of Livy's narrative to show through.

It is also possible that Rojas knew Ovid's poetic treatment of Lucretia in Book II of the *Fasti* (which is based in turn on Titus Livy's history), but here again there is nothing that he could not have gotten from Malvezzi. Rojas was certainly familiar with some of the printed debates on the virtues and vices of women which engaged Europeans from the earliest days of the Renaissance. This literature influenced Rojas, indirectly at least, because the eulogies of illustrious women were carried over into the *romancero,* and the ballads were the common property of the Spanish people.

In particular he was indebted to an anonymous ballad on Lucretia printed without title in the various editions of the *Romancero general en que se contienen todos los romances que andan impresos en las nueve partes de romanceros* (Madrid, 1600-1614). I shall quote the ballad in its entirety because Rojas not only borrowed the opening verses but also because we shall later have occasion to refer to its text. As reprinted in the second volume of Agustín Durán, *Romancero general* (*BAE,* XVI, p. 564), the ballad is as follows:

> Dándose estaba Lucrecia
> De las hastas con Tarquino,
> Potente rey de romanos,

Mal vencedor de sí mismo.
Decíale la matrona:
—Pasito, señor Tarquino,
Que de mi honor la cerraja
Tiene muy recio el pestillo:
No me sobaje su Alteza,
Conquiste con amor liso,
Y no con fuerza brutesca
Los muros de mi castillo.
Por eso al hijo de Venus
Le pintan desnudo y niño,
Porque los niños no saben
Pedir sino con gemido.
¡Quién fuera el castor agora,
Aquel animal bendito
Que perseguido se corta
La causa de su peligro!
¿Cómo miran las deidades
Desde su teatro altivo
Este tuerto enderezado
A profanar mi albedrío?
¿Para tal fuego no hay agua?
¿No hay rayos para tal brío?
¿Tal pujamiento de sangre
No degüellan sus cuchillos?—
El Rey, más duro que mármol,
Apenas oyó su grito;
Que la razón alterada
Obedece al apetito.
El suyo ha cumplido el Rey:
La matrona no ha cumplido
Con el himeneo santo,
Porque manchó sus armiños;
Que la voluntad forzada
Es voluntad en juicio,
Y en Lucrecia aun vive y reina
La de más cortantes filos.
Y dando satisfacción

De su honor, ¡gentil castigo!,
A su violado pecho
Aplicó un puñal buido.
Al fin murió, dando ejemplo
A los venideros siglos,
Pues la ofensa ha de lavarse
Con sangre del que la hizo.

It is in the third act of the play that Rojas found an opportunity to quote the opening verses of the ballad. Witness to the verbal fencing between Sexto Tarquino and Lucrecia, preceding her rape, Fabio quips:

Por esto dijo, imagino,
el que de decir se precia:
"Dándose estaba Lucrecia
de las astas con Tarquino."
(*Act III*, vv. 1950-1953)

No Baroque dramatist, no *gracioso*, could be expected to let these ready-made lines from a popular ballad slip by him.

The Spanish translation of Virgilio Malvezzi's *Tarquino Superbo*, which served as Rojas' principal source, has the following full-title:

TARQVINO/ EL SOBERBIO./ DEL/ MARQVES VIR-
GILIO/ MALVECI./ Traduzido del Toscano./ AL EX-
CELENTISSIMO/ Señor don Iuan Alfonso Enriquez/ de
Cabrera mi Señor: Grande/ Almirante, Duque de Medina de/
Rioseco, Conde de Modica, de/ Melgar, de Colle, y/ Osma, etc.
Don Francisco Bolle Pintaflor./ EN MADRID./ En la Imprenta
del Reyno. 1635 [8]

---

[8] 16°, 8 ff. without fol. + 133 ff. fol. Aprobaciones, Madrid, April 4, 1634 and April 7, 1634. Fe de erratas, May 28, 1634. Suma de la licencia, Madrid, April 5, 1634. Suma de tassa, May 31, 1634.

Another edition of Bolle Pintaflor's translation, containing the same preliminaries in addition to another *aprobación* dated November 29, 1634, was printed in Barcelona by Gabriel Nogués. The year of publication is not given, but it was probably printed also in 1635.

Nicolás Antonio, *Bibliotheca hispana nova*, 2nd. ed. (Madrid, 1783), I, 409, says nothing about Francisco Bolle Pintaflor, attributing to him only the translation of the *Tarquino*, which he dates as 1639. Either this is an error or it pertains to a later edition which I have not been able to locate.

On deciding to dramatize the story of Lucretia and Tarquin, Rojas, like Quevedo, was attracted to Malvezzi's declared purpose of stressing the psychological motivations of his subjects. In this regard Quevedo wrote in the foreword *(A pocos)* to his translation of Malvezzi's *Rómulo:*

> Escribieron la vida de Rómulo muchos, mas a Rómulo ninguno. Los pasados fueron historiadores de su vida, nuestro autor de su alma. Habíanse leído sus acciones, no sus intentos; los sucesos, no la causa de ellos. El Marqués escribe el príncipe, los demás el hombre. Llámase *Rómulo,* no historia o vida de Rómulo, porque no se dice sólo lo que de él se supo, sino lo que supo él. Refiérese lo que vieron todos, y lo que él procuró (si fuese posible) que no se viese.[9]

In his *Tarquino* Malvezzi makes an even greater effort to reveal the spiritual biography of his subjects than in the *Rómulo.* Its historical narrative, made

---

Bolle Pintaflor's translation was also included in a later edition of some of Malvezzi's works, where it is attributed to Spain's great satirist Francisco de Quevedo y Villegas: "LAS/OBRAS DEL/ MARQVES VIRGILIO/ MALVEZZI./ David perseguido, Romulo, y/ Tarquino./ TRADUZIDO DE ITALIANO,/ por Don Francisco de Queuedo Uillegas./ Cauallero del Abito de Santiago, Se-/ ñor de la Uilla de Iuan Abad./ DEDICADOS./ A Antonio de Saldaña Cauallero/ professo del habito de Christo,/ y Capitan de cauallos, de las/ coraças, en las fronteras de Alentejo./ EN LISBOA. Con todas las licencias necessarias./ Por Paulo Craesbeeck. Año de 1648./ Impressos a costa de Iuan Leite Perera, mercader de libros. Vendese en su casa."

Another Spanish translation of Malvezzi's *Tarquino* by Antonio González de Rosende was printed in Madrid, probably in 1635 although the year is not stated: "EL/ TARQVINO SOBERBIO/ DEL MARQVES VIRGILIO/ MALVEZZI/ Traducele de Italiano/ Antonio Gonzalez de/ Rosende/ AL/ EX^mo SEÑOR DON GASPAR DE GUZMAN CONDE/ DVQVE DE SAN/ LVCAR EL MAYOR/ etc. EN MADRID/ Con las Licencias Ordinarias/ lo imprimía Fran.^co de Ocampo" (12°, 6 ff. without fol. + 58 ff. fol.) Nicolás Antonio, *op. cit.,* I, 122, gives the year of publication as 1634, but he was probably going by the date of the *aprobaciones* (March 4 and 11, 1634). The latter indicate that this translation was licensed for publication before Bolle Pintaflor's, but González de Rosende himself complains in his preface *(A Todos)* that although he finished his translation first, vicissitudes in the printing shop delayed its publication. He also claims to have been authorized by Malvezzi to make the translation, and accuses his rival of being unfaithful to the original work.

There is no question concerning Rojas' source: in matters of vocabulary and style, he consistently follows the translation of Bolle Pintaflor rather than González de Rosende's. The question is: Who was Francisco Bolle Pintaflor? An obscure individual whose identity was unknown even to Nicolás Antonio? Or is the name a pseudonym (as it sounds), and if so, whose? One of Quevedo's? Of Rojas himself? The enigma remains.

[9] Luis Astrana Marín, ed., *Don Francisco de Quevedo Villegas, Obras completas en prosa,* 3rd ed. (Madrid, 1945), p. 1348.

up of variant details given by Dionysius of Halicarnassus and Titus Livy, is
rather brief but Malvezzi's interpolated commentary is extensive. At times his
additions take the form of imaginative reconstructions of the characters' reactions to certain situations, at times the form of imaginary speeches made by
the characters. On these occasions the author usually prefaces his reconstructions with a remark such as: "It is likely that Tarquin reasoned along these
lines . . ." or, "I am convinced that Brutus said something like this . . ." or,
"We may believe that Sextus came out with words like these. . . ." At other
times Malvezzi's commentary digresses into essays on a variety of subjects:
tyranny, women and honor, the fear of death, the qualities of a good ruler, etc.
But no matter where Malvezzi's pen took him, Rojas followed closely.

Indeed, it would be difficult to exaggerate the scope of Rojas' indebtedness
to Malvezzi's *Tarquino,* whether it be to the historical sections or to the author's
personal commentary. When Rojas departs from Titus Livy's history (as he
often does), it is usually because he is following Malvezzi. When he quotes—or
misquotes—Dionysius, it is because he is following Malvezzi. The reason for
the magnitude of Rojas' debt to the Italian is simple. When he sat down to
compose his tragedy, he had a copy of the translation before him. He copied
from it unashamedly. Several sequences of speeches in the play (which will be
duly indicated in the Notes) are little more than versifications of the prose
passages—passages which Rojas divided into dramatic dialogue and distributed
to various speakers.

Nor are Rojas' borrowings limited to verbal matters. Some of his perceptions
of character, chiefly those of Tarquin and his son, were also suggested to him
by Malvezzi, as were some of the themes involved in Lucrecia's tragedy. As
stated earlier, the Italian takes great care in distinguishing between the exterior
behavior of the Tarquins—their social front—and their intentions revealed in
"thought soliloquies." (Some editions of Malvezzi's *Tarquino* distinguish between their acts and thoughts by using different kinds of type.) This technique
results not only in a pervasive irony but also in the persistent interplay of appearances and reality. As one might expect, Rojas seized upon the theme of the difference between appearance and truth, which he made largely accountable for the
tragedies of Lucrecia, Colatino and the Gabini.

In stressing Rojas' debt to Malvezzi, I do not mean to minimize his merit
as the author of *Lucrecia y Tarquino.* The tragedy is his. In Malvezzi he found
the materials (something more than raw materials); but he selected, ordered,
transformed. While all the themes are actual or latent in the Italian's work,
Rojas gave them greater life and meaning in dramatic poetry. While Rojas

owed to Malvezzi his perception of the Tarquins' character, Lucrecia, Bruto, and especially Colatino are his creations. They make the tragedy. Still, Rojas' debt to Malvezzi is unique. No other play in his production owes so much to its source.[10]

ANALYSIS OF THE PLAY

As often remarked, no dramatist was more sensitive to the whims of his public than Lope de Vega, who understood so well the popular appeal of keeping the audience guessing. It is for this reason that he wrote in *El arte nuevo de hacer comedias* concerning plot construction (vv. 231-235):

> Dividido en dos partes el asunto,
> ponga la conexión desde el principio,
> hasta que vaya declinando el paso;
> pero la solución no la permita,
> hasta que llegue a la postrera escena . . .

Lope's counsel is appropriate for the creator of a *capa y espada* play in which the playwright may spin the plot at his fancy, but Rojas' problem in dramatizing a story as familiar as the rape of Lucretia was to maintain the spectators' interest throughout the play, although the outcome was generally known. Let us consider first how he approached this problem in terms of plot structure.

Professors Roaten and Sánchez y Escribano have pointed out that "It is a regular occurrence for the Baroque theater to open with a secondary motive or, if the chief theme occurs in the first scene, it is customary to conceal its importance for some time."[11] Rojas' tragedy is an excellent case in point. The first two acts are largely concerned with secondary motives: an account of Tarquino's capture of Rome, a debate over his treatment of the subjugated Romans, plans for his new campaigns against Ardea and Gabii, and, in the middle of the second act, the interpolated skit having to do with the contest to

---

[10] It is not unlikely that Rojas knew Malvezzi personally. The latter (who served as Philip IV's minister in England) was a member of the Count-Duke Olivares' Italian coterie and was often around the court in the 1630's when Rojas was a favored court dramatist. We can only conjecture whether the two men ever discussed, before or after, Rojas' dramatization of *Tarquino Superbo*.

[11] Darnell H. Roaten and F. Sánchez y Escribano, *Wölfflin's Principles in Spanish Drama: 1500-1700* (New York, 1952), p. 86.

choose the fairest of the goddesses. Although all the principals are introduced early in the play, Sexto Tarquino and Lucrecia, whose conflict constitutes the core of the tragic action, are not brought face to face until the final scene of Act II, nor is there any overt act until their meeting to indicate the direction the plot will take. In effect, only after all the secondary motives are allowed to dissipate themselves in the initial scene of the final act (they are simply lost from sight rather than resolved) do the remaining scenes bear directly on the tragic action. The reasons for this are rather obvious: the actual rape of Lucrecia cannot be delayed very long after Sexto Tarquino finds her alone, nor can much time elapse between the rape and her subsequent suicide. And probably more important, since all or most of the spectators were familiar with the outcome of Sexto's passion for Lucrecia, the dramatist deliberately sought to create suspense by deferring and "obscuring" the central conflict.

Yet Rojas manages to invest the first two acts, before the conflict comes into the open, with the brooding atmosphere of inevitable tragedy. How does he go about it? By the early exposition of characters ripe for catastrophe, by constantly insinuating tragic events by means of omens and other portentous devices, by creating poetic imagery of ruin and destruction, by employing dramatic irony, and by exploiting the unusual role of Bruto. We shall take these things up as they occur individually or are fused in the play.

The opening scene is especially rich in serving multiple dramatic functions. As Sexto Tarquino and Colatino relate in turn their military activities, the scene apparently serves primarily as exposition to acquaint the audience with events concerning Tarquino el Soberbio's seizure of Rome. In giving exposition, the scene is indeed an effective one, but it does much more than that. Beginning with the somber cadences of *silvas* (Rojas' favorite verse for establishing the tragic mood), it sets the tone which prevails throughout most of the play. It also permits important revelations—and contrasts—of character. Note, for example, how the language of Sexto Tarquino, in the report of his slaughter of the Roman senators, is indicative of his character:

> En ira, en sangre y en furor envuelto,
> llegué al Senado, intrépido y resuelto.
> (*Act I*, vv. 11-12)

Dutiful son of his destructive father, Sexto gives another clue to his character as he describes how he let nothing stand in his way as he dealt out death, because

> Yo, que por ley del hado
> nací a violencias tales inclinado . . .
> (*Act I*, vv. 43-44)

By way of contrast, Colatino, a too-willing agent of the Tarquinos' designs, tells how he set fire to the Roman stronghold on Esqueline Hill but, because of his gentle nature, sympathized with the victims:

> . . . en modos compasivos
> lloré los muertos, perdoné los vivos . . .
> (*Act I*, vv. 91-92)

This is not the last time that the opposing natures of Colatino and the Tarquinos will be highlighted—nor the last time that Colatino will cry.

We need not examine now all the poetic images with which Rojas fleshes out his opening *silvas*, because the predominant imagery of blood, ruin and destruction will become evident as one reads through the accounts of the Roman siege. However, a few key symbols and the linguistic and dramatic parallels between the narrative of the initial scene and later ones (including the last) are worthy of comment. It should be observed, for example, that Sexto Tarquino's first victim is a venerable old man, representative of Roman dignity, honor and valor. It is he who seeks to prevent the prince's forcible entry through the locked door of the Senate, symbol of Rome's finest traditions. The old man (and Rojas) is up to more than fancy talk when he addresses to Sexto these words centering upon the circumlocution *abrir puerta en el pecho* (which normally means simply "to wound" or "to kill"):

> No la puerta rompida,
> no el temor de la muerte, no la vida
> —amable siempre, ahora despreciada—
> te han de facilitar, Sexto, la entrada;
> que primero, sospecho,
> has de abrir, para entrar, puerta en mi pecho.
> (*Act I*, vv. 21-26)

When the Roman concludes his defiance, saying "Rompe mi pecho, mi valor profana . . ." Sexto kills him and forces the door.

Now the symbolism (and irony) of Sexto's venerable victim standing by the locked door of the Senate, his contempt of life, his death and "profanation," were not likely to be lost on Rojas' spectators. *Puerta* and similar terms were commonplace symbols of women's honor, and indeed their effectiveness depends largely on the fact that they were so common. Consider for a moment Lucrecia's words as she attempts to forestall Sexto Tarquino in the anonymous ballad quoted in the Introduction:

> —Pasito, señor Tarquino,
> Que de mi honor la *cerraja*
> Tiene muy recio el *pestillo:*
> No me sobaje su Alteza,
> Conquiste con amor liso,
> Y no con fuerza brutesca
> Los *muros* de mi *castillo.*

A seventeenth-century audience, familiar both with the story and the metaphors for honor, could hardly have failed to make an association between the senator's fate and Lucrecia's subsequent tragedy. In effect, in the final act of the play Sexto Tarquino's second venerable victim also remains deaf to his threats, refusing to "open the door" of the temple of her honor. But she too is overcome and profaned, dying figuratively (she faints) when the prince again draws his dagger intending to "abrir puerta."

Colatino's narrative pursues the symbolism further. In the service of the Tarquinos he sets fire to Esqueline Hill. One by one he describes the edifices (all symbols of strength, most metaphors of women's honor) ravaged by the fire: *muralla, castillo, torreón, muro*. He concludes his report by describing the destruction of the *muro:*

> Allí un muro valiente
> en vano se resiste al fuego ardiente;
> todo es horror, lamentos, confusiones, . . .
> y sin que de su forma quede indicio,
> sombra se mira el que se vió edificio.
> (*Act I*, vv. 122 ff.)

Later, still in the service of the Tarquinos, Colatino will unwittingly expose Lucrecia to the "fuego ardiente" of the inflamed prince. From this point on, *fuego* is applied metaphorically to refer to Sexto Tarquino—and to his passion. To cite just one example, note the terms (based on a proverb) in which Lucrecia later complains to her father after Colatino has brought the prince into her home:

> Pero siempre, señor, vi
> que es ley que en el mundo pasa,
> que a la casa que se abrasa,
> le entra por la puerta el fuego,
> y que es imprudente y ciego
> quien mete el fuego en su casa.
> Fuego los príncipes son . . .
>   (*Act III*, vv. 1782-1788)

The versification shifts from *silvas* to *romance* as the narrative gives way to debate, the first of the several debates around which the plot is organized. The subject is one which occupied political writers of many ages (Seneca, Machiavelli, Quevedo, Malvezzi): whether it is better for a ruler to be loved or feared. Colatino urges Tarquino el Soberbio to employ conciliatory means in governing the Romans in order to win their good will, but the tyrant will have none of it, because

> Con el temor y el rigor
> al principado he llegado;
> sea, pues, el principado
> conservado del temor . . .
>   (*Act I*, vv. 149-152)

Rojas' debt to Malvezzi begins here. Let us quote from the Earl of Monmouth's quaint English translation to show how Tarquino acted contrary to Malvezzi's later opinion. One paragraph (of several on the subject) reads:

> He who hath wonne a Kingdome by the sword, if he lay not downe the sword, the sword will lay downe him; he is too great a foole who wil use the same food to continue health, which he did to acquire it; and the Tyrant is not wise, who maketh use of the same meanes to governe a State, which he did to possesse himselfe

thereof. This is not written that it ought to bee done, but because
it usually is done; it is rather the nature, than doctrine of men; they
thinke that good alwayes which they have found once good.[12]

It would be interesting but uneconomical to show how Colatino's further
arguments to convince Tarquino are drawn largely from Malvezzi, although
the arguments are unavailing. Sexto Tarquino joins the debate on his father's
side, silencing Colatino, who is simply no match for the Tarquinos. Still, he
is rewarded for his past services and continues to enjoy the royal favor. It is
here that Bruto utters his first remark bearing on the action—a remark insinuating the future conflict: "Colatino / se acordará de Tarquino" (vv. 202-203).

At this point it will be well to pause for a moment to comment on the role
of Bruto, who is to be our guide through much of the tragedy. In the play,
as in history, Bruto's life was spared at the time of Tarquino's capture of Rome
because he pretended to be mad, and as Sexto Tarquino says, "un loco no es
capaz de mi castigo," a statement which the elder Tarquino approves: "Bien
dices, que por loco importa poco." In view of the historical facts concerning the
role of Lucius Junius Brutus in castigating the Tarquins, this is an obvious case
of irony. We are concerned, however, with the immediate role which Bruto's
feigned madness permits him to assume. He is there not to provide laughter
(the *gracioso* handles this task) but to contribute to an understanding of the
plot and to interpret events. Although he takes no part in the action, he is
present in almost every scene where there is some motive, some act, worthy
of comment. In this way he is a disinterested spectator, performing some of the
functions of the Greek chorus. He is also the author's spokesman—and, in a
modern sense, one of the most fully-developed *raisonneurs* of the Golden Age.

When his repeated warnings go unheeded (because "Todo es locura . . .

---

12 *Romvlvs and Tarqvin, Written in Italian by the Marques Virgilio Malvezzi. And now
taught English* by Henry Earle of Monmouth. 3rd ed. (London, 1648), pp. 112-113. The Spanish translation of the same passage is as follows: "El que adquiere el Principado con el azero, si
no le dexa, le pierde a sus mismos filos (sic) es muy loco el que para conservar la salud se alimenta de aquel manjar, que fue remedio para cobrarla. Y es ignorante el tirano, que se sirve a la
conservación de vn estado de las mismas trazas que le dispusieron el posseerle. Pero esto no se
escriue, porque se ha de hazer, sino porque se suele hazer, y es naturaleza de los hombres,
no enseñança, que estos siempre se valen de aquello en que tal vez conocieron vtilidad;
doctrina en que hallarán conueniencia los Príncipes; no seguro acierto los tiranos: y en fin
se pueden servir de ellas los que están mas assegurados en sus Estados; no aquellos que viuen
más al riesgo de perderlos. La bondad se conserua con su semejante, la malicia se reduze con
el contrario; y es tanta la fuerça del bien, y la flaqueza del mal, que para assegurarse los
hombres siendo malos, necessitan muchas vezes de ser buenos" (fols. 11r.-12r.).

cuanto Bruto dice y hace"), Bruto then moralizes on the thankless efforts of
the "inferior":

> (La opinión me satisface.
> Siempre es bruto el inferior.
> Nunca acierta en lo que dice;
> lo que hace es despreciado,
> porque en todo principado
> su verdad es infelice.
> Y como siempre se mira
> a la sombra del desprecio,
> en su verdad vive necio,
> sabio el rico en su mentira.)
> *(Act I,* vv. 215-224)

Bruto's pun on his name is obviously designed to do more than serve the
purposes of humor. It has about it an air of bemused pessimism over the human
condition because, as developed later in the speech, his "superiors" will not heed
his "mad" truths. Indeed it is no wonder that the lives of the unwary are
blighted in a senseless world in which, paradoxically, "the inferior lives foolishly
with his truth" and "the rich lives sagely with his lie." Here we strike one of
the principal themes of the play: the difference between outward appearance
and reality.

But Bruto is not the only one who recognizes the difference between illusion
and truth. So does Tarquino el Soberbio. As the busy first scene ends, he pre-
pares to exploit the Gabini ("de su ignorancia engañada") for his own profit
by planning another deception: to have Sexto Tarquino gain control of Gabii
by pretending he has rebelled against his father's authority. Tarquino's speech
in the play comes largely from Malvezzi, whose words are reproduced in the
Notes (225 ff.).

By way of contrast, typical of the Baroque, the scene shifts from the brutal
world of the Tarquinos to the gentle home of Lucrecia. True to the qualities
of which her name has become a symbol, Lucrecia is the epitome of love and
modesty—and the embodiment of Senecan Stoicism. Unable to persuade her
mistress to do justice to her beauty by wearing her finest clothes, Julia asks:
"¿Por qué, señora, desdeñas / eso que el mundo estimó?" Lucrecia's answer,
reminiscent of Seneca's pleadings against vanity and ostentation, concludes:
"Con tenerlas me contento, / y las desprecio en no usallas." Again, after she

refuses the invitation to attend the festivities in celebration of the king's birthday on the grounds that such occasions are productive of improprieties unsuitable to a woman of her virtue, Fabio (who has brought the invitation) reiterates
(vv. 405-406):

> Las vanidades desprecia
> que estima el mundo engañoso.

The scenes devoted to Lucrecia and the servants do little to advance the plot,
nor are they intended to do so. They are of the nature of side-scenes whose
primary purpose is to exhibit Lucrecia's character before she is caught up in
the whirl of the dramatic action—to show her scorn of the world, which is
essential to the irony of her tragic end. This becomes clearer in the following
scene when Bruto accompanies Colatino to his home to bid Lucrecia farewell
(although Bruto has no business in being there). Colatino is apprehensive
about leaving Lucrecia alone, but when Bruto, after witnessing a tender love
scene between husband and wife, warns Colatino to beware of the Tarquinos,
Colatino scorns him: "De tus locuras me río." In reply Bruto again stresses
the theme that tragedy awaits those who fail to recognize the truth, even in the
pratings of madmen:

> Yo no, que entre disparates,
> los vaticinios de un loco
> tal vez se lloran verdades.
> 			(*Act I*, vv. 534-536)

Moments later a wounded dove pierced by an arrow falls at Colatino's feet,
splashing him with blood. This omen is the first visible sign that tragedy—the
personal tragedy of Lucrecia—is in the offing, for heretofore the only indica-
tions have been in the narrated symbolism and the comments of Bruto (who
does not fail to remark on the significance of the omen). It also marks the
first appearance of the dove as a symbol for Lucrecia (as noted by Covarrubias,
"la paloma . . . es símbolo del ánimo cándido y pacífico" and "también es
símbolo de los bien casados . . ."), but "paloma blanca" and "paloma humilde"
are terms applied later in the play to her. Now Colatino, who has earlier laughed
at Bruto's warnings (or quite humanly tried to ignore them in order to justify
to himself his own actions in accepting favors from the Tarquinos), is visibly
shaken. He rages at the unseen hunter who killed the dove.

Lucrecia's response, as she attempts to dispel her husband's fears, is charged with dramatic irony as she extols the blameless death of the dove. I shall quote only part of her speech here:

> Si el hado fatal permite
> que el pecho casto derrame
> líquido rubí inocente,
> esa inocencia le basta.
> ¿Qué vida como una muerte,
> si lastimosa, inculpable,
> cuya piedad hace hermoso
> el más sangriento cadáver?
> ¿Qué vivir como morir
> a los ejemplos constante,
> lágrimas pidiendo siempre
> a las futuras edades?
> Muera el casto pecho al hierro
> antes que a la ofensa, y antes
> que ocasione pensamientos
> que injustamente le infamen.
> (*Act I*, vv. 571-586)

This prophetic utterance is clearly more than an expression of resignation to the dictates of fate; it is an invitation on Lucrecia's part to have her virtue put to test, an expression of her willingness to become a martyr for virtue's sake. She, like Seneca (and Sexto Tarquino's first victim), has only contempt for death and fortune, because virtue and honor are the only good. And later she has the opportunity to play the martyr when, ironically, her husband's pride in her virtue forces her to abandon her cherished seclusion.

The first act closes (as it began) with a scene devoted to Tarquino's military affairs. But this time the scene is laid in the enemy camp in Gabii, where Cloanto exhorts his fellow townsmen (again in solemn *silvas*) to resist the tyrant until death. Since Cloanto's speech (vv. 599-636) derives largely from Turnus' impassioned address to the Latins in Malvezzi's *Tarquino,* it should be compared with the Spanish translation which is given in the Notes (599 ff.).

In warning his companions against Tarquino's trickery ("Su cauteloso engaño / dirige a vuestro daño"), Cloanto gives every indication of being too clever to be duped by his enemy's wiles. But Cloanto, like Colatino, is no match for the Tarquinos. And, ironically, he tells why, when he sees a man (Sexto Tarquino) fleeing from the enemy camp to the gates of Gabii:

> Mas ¿qué es esto que veo?
> O me engaña la vista o el deseo;
> del campo de Tarquino
> un hombre huyendo a nuestras puertas vino.
> (*Act I,* vv. 633-636)

Indeed, Cloanto is deceived by his desire because he is too eager to believe that Sexto Tarquino has turned against his father.[13] He will also pay the price (in the secondary plot) for failing to distinguish between appearances and reality.[14] In the illusory world of *Lucrecia y Tarquino* (in which *engaño* and its derivatives are key words), all who blind themselves to the truth—Lucrecia with her proud contempt of the "mundo engañoso," Colatino by his willful heedlessness, Cloanto by wishful thinking—are marked for catastrophe.

The initial impulse to the main action is released early in the second act in the form of a song. Having returned to his father's camp, Sexto Tarquino summons a musician who sings:

> *El difunto cuerpo llora*
> *la infelice Elisa Dido*
> *del malogrado Siqueo,*
> *lástima común de Tiro.*
> (*Act II,* vv. 855-858)

---

[13] Few speeches in the play reveal such verbal indebtedness to the Spanish translation as Sexto Tarquino's plea to the Gabios. The translation of this passage is given in full in the Notes (639 ff.).

[14] The cause of Turnus' subsequent death (Cloanto's death in Rojas) is explained carefully by Malvezzi. The translation reads: "Recibenle [Sexto Tarquino] los Gabios, creenle; y esta facilidad es hija de su deseo; deste solo se engendran los mostruos; porque se junta con las quimeras. Vn gran deseo viue sujeto a vn grande engaño; antes bien se puede engañar con seguridad al que desea con vehemencia; cree possible todo lo que apetece, forma argumentos en fauor de lo que cree, y a aquellos presume que llegó el entendimiento del que trata de engañarle. Aun los muy sabios incurren muchas vezes en este yerro; porque el objeto de vna immoderada passion, cuya representacion es muy presta, tiene fuerça de piedra iman: el sentido que la mira, no cree que necessita de la razon para hazer juicio della: recibela en si, y despues la discurre; y muchas vezes ignora que es veneno, hasta que sus congoxas le declaran en el corazón" (fol. 65r.-v.).

Taking issue with Sexto's remark on the matchless fidelity of Elisa Dido,[15] Colatino provokes a debate with Acronte and Tito on the merits of their respective wives. His warm tribute to Lucrecia bears repeating here because it is a prime example of the Baroque artist's endeavor to unite contrasting qualities—even mutually exclusive qualities—in a single object:

> Quien a Lucrecia no ha visto,
> no conoce la hermosura,
> ni del ingenio y el brío
> tiene noticia, ni puede
> hacer de nada jüicio.
> Porque lo cuerdo y lo hermoso,
> lo prudente y lo entendido,
> lo airoso y [lo] recatado,
> lo desenvuelto y lo lindo,
> está en ella tan conforme,
> vive con tanto artificio,
> que se abrasan los extremos
> cuando más están distintos.
> Y con todas estas partes,
> y otras muchas que no digo,
> no tiene más voluntad
> de la que yo le permito.
>
> (*Act II*, vv. 870-886)

Again acting as the author's *raisonneur*, Bruto rebukes the men for making their wives the subject of debate, but they ignore his arguments.[16] Colatino welcomes Sexto Tarquino's proposal of a contest among Lucrecia, Casimira and Lavinia—a contest which the prince volunteers to judge because his curiosity in the women has been aroused. Bruto's final comment in the scene again calls attention to Colatino's blind folly:

---

[15] Cf. María Rosa Lida, "Dido y su defensa en la literatura española," *Revista de Filología Hispánica,* IV (1942), 209-252, 313-382; V (1943), 45-50.

[16] Here, as elsewhere in the play, Rojas assigned to a character speeches made up of Malvezzi's own commentary. Malvezzi's interesting views on women are quoted at length in the Notes (904 ff.).

(Tres necios miro en los tres,
pero el mayor, Colatino.)
(*Act II*, vv. 965-966)

As far as Rojas' tragedies are concerned, *Lucrecia y Tarquino* is relatively free of the extensive comical intrusions for which many critics have severely taken him to task. Up to this point in the play, the only semblance of comedy has been in the few (and not so funny) witticisms of Fabio. But it is now time for those scenes which in Rojas' tragedies, in the words of Valbuena Prat, "son como entremeses zurcidos a la acción capital."[17] When Sexto Tarquino and his party return to Rome, Tito and Acronte are chagrined to find their wives making merry at a court festival. As part of the entertainment, a *comedia de repente* is presented in which one of the courtiers, acting the part of Paris, is commissioned by Júpiter to hold a contest among the goddesses Venus, Palas and Juno. As in the mythological contest, a golden apple is to be awarded to the fairest. This provides an opportunity to Fabio, as Paris' buffoon, to make comical remarks about the physical defects of the goddesses, one of whom is bowlegged, another one-eyed, and the third hunchbacked. But this is no simple scene of comic relief, although it partially serves that function.

From the point of view of plot structure, the interlude comes exactly in the middle of the play, dividing it symmetrically into two parts (in keeping with Lope's advice, "Dividido en dos partes el asunto . . ."). The pause between the build-up of the first half and the scenic representation of foreshadowed events in the second also serves to increase suspense by delaying the meeting, when expectancy is already great, of Lucrecia and Sexto Tarquino. Further, Fabio's remarks on the goddesses parody the praise lavished by Colatino and the others on their wives, thus capturing the bizarre effects resulting from the Baroque juxtaposition of the serious and the comic. Indeed the very ludicrousness of the mock-mythological contest heightens by contrast the seriousness of the contest to which Colatino has so foolishly committed his wife—to say nothing of the fact that the mythological contest also ended in tragic discord. In short, this interlude is but another instance of Rojas' systematic creation and exploitation of contrasts in character, action, mood and language which are at the esthetic heart of this play.

Again the scene changes abruptly from the frivolous entertainment at the court to the somber dignity of Lucrecia's home where Sexto Tarquino and his companions find Julia singing a song about Penélope which reflects Lucrecia's

---

[17] *Literatura dramática española* (Barcelona, 1930), p. 258.

sadness during her husband's absence. Impressed by Lucrecia's beauty and virtue, the prince awards her the victory, adding these words of tribute:

> Miente Penélope, y mienten
> cuantas Porcias y Artemisas
> celebra la antigüedad;
> que sola Lucrecia es digna
> de los elogios de todas,
> pues ella todos los cifra.
> (*Act II*, vv. 1149-1154)

It is ironic that Sexto Tarquino should be the one to bestow such praise on Lucrecia (who will share the fate of some of the chaste women to whom she has been likened), but again Rojas is following a lead given by Malvezzi. In his narrative Malvezzi states that Sexto Tarquino's "lust was occasioned as much by the chastity of Lucretia as by her beauty," and he goes on to explain why in his commentary. Again I quote the Earl of Monmouth:

> Men lustfully given, cause all their senses, yea, the understanding itselfe to minister provocations for the satisfying of that sense: beauty, birth, sweet odours, harmony, all which have nothing to doe with feeling; and which is worse, Vertue herselfe, and amongst vertues, very Chastity, the very opposite to Lust, does more incite thereunto: Vertue is so lovely, that shee makes herselfe bee loved, yea, even by Vice . . .[18]

In dramatizing Sexto Tarquino's infatuation with Lucrecia, Rojas also sought to show that her virtue was as responsible as her beauty in arousing the prince's passion. That this is so is made clear in Sexto's repeated references to her virtue:

> Ella sola se compita;
> pues en virtud y en belleza,
> sólo se iguala a sí misma.
> (*Act II*, vv. 1158-1160)

---

[18] Earl of Monmouth, op. cit., p. 186. The Spanish translation of the passage reads: "Los hombres luxuriosos se siruen de todos los sentidos, y aun del mismo entendimiento para incentiuo de la misma sensualidad; la belleza, la nobleza, los olores, la musica, que no tienen correspondencia con el tacto; y lo peor es la misma virtud, y entre las virtudes, la honestidad, que es mucho más opuesta al deleite, es la que más incita a la lasciuia: es virtud de si tan amable, que se haze amar aun del mismo vicio" (fol. 93r.-v.).

And again he remarks, "Donde hay virtud, todo sobra. / Al sol la virtud imita
. . ." (vv. 1211 ff.).

Now the reasons for the insistence upon Lucrecia's virtue as a chief cause
in provoking Sexto Tarquino's lust will become, if they are not already, evident.
Lucrecia, as we have seen, prizes only her virtue. Virtue, it would seem, can
lead only to good. But in the world of *Lucrecia y Tarquino* good and evil,
truth and untruth, appearance and reality are ever confused. What more fitting
antinomy (of which Baroque dramatists were so fond) that rather than impose
restraint, virtue incites the very passion which it most abhors? In the final scene
of the play, as Lucrecia searches for the cause of her tragedy, she will ask
herself whether her virtue did not lead to her undoing. She will not be wrong.
Such is the irony of her tragic fate.

Any competent actor playing the role of Sexto Tarquino would find it easy
to portray the latter's consuming passion for Lucrecia, but Bruto is there to
emphasize the point:

> (O yo estoy loco del todo
> o Sexto Tarquino mira
> la honestidad de Lucrecia
> con los ojos de su envidia.)
> (*Act II*, vv. 1269-1272)

This statement of the prince's infatuation is followed immediately by the
visual representation of an omen. After refreshments are served, Sexto Tarquino
starts to replace his glass on the tray held by Lucrecia, but in his distraction
he misses the tray, breaking the glass. The significance of this omen (the glass,
as so often in the Golden Age, symbolizes Lucrecia's honor) is not overlooked
by Colatino, who insists that they return to their stations. Since the conflict is
now clearly visible, Bruto will no longer be needed as the interpreter and com-
mentator of the action. Aside from one speech in the final act, his role hence-
forth will be confined to that of a bemused bystander.

The third act begins in Gabii where Sexto Tarquino is now the supreme
commander, although his tyrannical ways are opposed by Cloanto, who previously welcomed him as a brother-in-arms when he pretended to rebel against
his father. Despite (or because of) his preoccupation, Sexto Tarquino is in
no mood to tolerate opposition; he orders the dissenter executed. Cloanto pays
the price for his wishful thinking—because, as Malvezzi moralizes about the
failure of the Gabini to distinguish between appearance and truth, "The wary

will never erre in their beleeving little, and the inconsiderate will seldome but erre in their over easie beleefe."[19] With the execution of Cloanto the secondary plot concerning Tarquino's political and military affairs virtually comes to an end. From this time on, Rojas focuses every attention on the impending tragedy of Lucrecia.

Typical of Rojas' technique, especially in the tragedy, are the next three scenes. When the tragic crisis becomes "technically" inevitable, when it seemingly will permit little further delay, Rojas likes to stall. One of the purposes of the stalling is obvious: it increases tension. But although he is not loath to use this (and other devices of melodrama) for the sole purpose of suspense, his stalling often takes a particular form which serves an additional function. It is his practice to devote separate scenes to the key personages so that they may reveal individually their emotional reactions to their situations immediately prior to the crisis. Here, three successive scenes are devoted to exploring the state of mind of the principals: the love-frenzied prince, the repentant husband, the uneasy victim-to-be. But the purpose of these scenes is not only to reveal the preoccupations of the characters at a crucial moment of the play but also to focus upon the tragic issue from three different points of view. The tri-dimensional perspective achieved by these parallel scenes unites the essential elements of Lucrecia's impending tragedy: Sexto Tarquino's passion aroused by her *honestidad,* Colatino's heedlessness, and Lucrecia's concern for her *recato.*

Not the least of Rojas' merits in this play is his portrayal of the obsessiveness of Sexto Tarquino's passion for Lucrecia. He cannot get her out of his mind; he cannot stop talking about her. He finds a willing listener in Pericles (whose "slick" conversion is rather too hastily brought about) whom he tells why he must possess Lucrecia:

> Esa honestidad divina
> y ese recato me llevan
> el alma; que la hermosura
> con la privación se aumenta.
> (*Act III*, vv. 1583-1586)

Rojas does not want us to forget Lucrecia's *honestidad.*

---

[19] Earl of Monmouth, *op. cit.,* p. 162. The Spanish translation is: "Los aduertidos nunca seran engañados por creer poco; y los incautos errarán casi siempre creyendo mucho" (fol. 67v.). As mentioned earlier, Malvezzi speaks at length against credulity, advocating a policy of dissimulation (as exemplified by Bruto, for example).

After Sexto Tarquino makes plans to return to see Lucrecia, the scene shifts to the king's camp, where Colatino is troubled because of his indiscretion in taking the prince to his home:

> Después que a Sexto llevé
> a la mía, no me deja
> una celosa inquietud
> y una enemiga sospecha.
>
> (Act III, vv. 1650-1653)

He first seeks reassurance in his knowledge of Lucrecia's virtue (it is a bit disconcerting here to find that Colatino, momentarily at least, seems as concerned about his honor as about his wife's safety), but the nagging doubts do not leave him. His self-reproach terminates with the harsh realization that he is responsible for having jeopardized his happiness: "Cómplice soy en mi agravio" (v. 1680). Meanwhile, noting Colatino's preoccupation, Bruto makes his final commentary before the end of the play:

> (Con qué notable tristeza
> Colatino está estos días.
> ¿Si habrá caído en la cuenta
> del disparate que hizo?
> No tendrá a lo menos queja
> de que en la boca de un bruto
> no oyó de su culpa enmienda.)
>
> (Act III, vv. 1681-1687)

Indeed Colatino is the agent of Lucrecia's tragedy and his own misfortune because, in his failure to heed Bruto's "locuras," recognition comes to him too late. Colatino's pride in Lucrecia is understandable, but his tragic fault, like that of many other tragic heroes—Oedipus, King Lear, Othello—is a lack of perception. Moreover, it increases the irony of his belated "recognition" that when he hears the false report of Sexto Tarquino's difficulties with his subjects, he thinks that the prince, rather than threatening his home, wants to honor him by soliciting his help in putting down the rebellious Gabini:

> (Injusta fue mi sospecha;
> inciertos son mis temores.
> Sexto de honrarme se precia.)
>
> (Act III, vv. 1737-1739)

It now becomes Lucrecia's turn to voice her fears aroused by Sexto Tarquino's visit. The words of her father (who is also duped by believing in an orderly world of righteous royalty) are tinged with irony as he tries to relieve her anxiety: ". . . entiende / que el príncipe nunca ofende" (vv. 1779-1780). But Lucrecia will not be comforted. She replies:

> Ya no se puede excusar;
> ya entró, y ya miro perdido
> cuanto recato he tenido.
> Y así es preciso temer
> lo que puede suceder,
> más que lo que ha sucedido.
> (*Act III*, vv. 1802-1807)

Her question to Julia (with whom she has been discussing a favorite Baroque theme—dreams) further reveals her troubled state:

> ¿Y alguna vez no has soñado
> que en un peligro te ves,
> y huyéndolo, das después
> en otro de más cuidado?
> (*Act III*, vv. 1828-1831)

Rojas has now explored the state of mind of all three principals. The tragic issue has been focused upon from various perspectives. It is now time for the crisis. Sexto Tarquino arrives at Lucrecia's home, seeking lodging under the pretense that his coach broke down. Admitted into the house, he soon declares his love, but Lucrecia (who is modest but not naïve) tries to forestall her would-be lover by reminding him of his obligations and by engaging him in debate. Their conversation begins calmly but soon acquires increased tempo and intensity as they engage in swift stichomythic dialogue. When the hot-blooded prince appears to be subdued (he has only been out-talked), Lucrecia retires for the night.

The scene changes to Colatino, who has decided to pass by his home on the way to his new assignment. As he approaches his house, he muses upon the omen of the wounded dove which occurred when he first took leave of Lucrecia. His soliloquy in *silvas* (typical in verse form, typical in its position in Rojas' tragedies—immediately prior to the crisis or during the consummation of the tragic act itself) contrasts sharply with the stichomythic dialogue of the preceding scene:

> Todo es horrores, todo pardas sombras,
> todo temores vanos y recelos,
> todo brasas y hielos
> cuando mi ofensa, ¡oh vil temor!, me nombras.
> ¿Si la simple paloma
> que puerto tarde entre mis brazos toma,
> del cazador herida,
> agüero fue que malogró mi vida?
> ¿Si ha de ser Lucrecia
> esta paloma que el vivir desprecia?
> ¡Plega amor que no sea,
> y entre mis brazos palpitar se vea!
> ¡Oh qué viles temores!
> Yo voy pisando sombras, y entre horrores,
> perdiéndose el sentido
> en las viles sospechas de marido.
>   (*Act III*, vv. 1978-1993)

At the very moment when Colatino is "pisando sombras" (one of the favorite metaphors of Golden Age dramatists to augur tragic events), his worst fears are realized. The rape is consummated. Sexto Tarquino himself relates the circumstances: he awakened Lucrecia from her sleep and threatened to kill her with a knife if she did not submit to him. She fainted and he ravished her unconscious body.[20] But Sexto Tarquino is a different man. Remorseful, dazed, he is overcome by the magnitude of his crime:

> Ignoro el bien que gocé.
> Amigo, mi suerte ignoro.

---

[20] Apparently Rojas' play is the only work in which the outrage is consummated when Lucrecia is unconscious. In all other works with which I am familiar, Sextus Tarquin threatens to kill her and one of her slaves, and put their bodies in her bed. As a kinsman of Collatinus, he would claim that he killed them in adulterous relations in order to avenge the family's honor. Lucretia submits because she cannot bear the thought of the calumny. Malvezzi gives the same details, but he was much concerned over the reasons for her submission. Did she dread the calumny (and her inability to redress it) more than the defilement of her body? Perhaps, says Malvezzi, but the *real* reason for her surrender was the elemental fear of death, because the prospect of a violent death at the hands of another is always more fearful than suicide.

> Toqué al sol, ofendí al cielo,
> y entre temor y recelo
> huyo lo mismo que adoro . . . .
> Yo me voy adonde pueda
> pedir al cielo que un rayo,
> mientras vuelve del desmayo,
> venganza a su honor conceda.
>   (*Act III*, vv. 1997 ff.)

In this belated show of conscience, Sexto Tarquino demonstrates that recognition and self-knowledge (or, perhaps, just remorse) need not be the exclusive property of the tragic hero.[21]

Now that the villain has fled, Acronte and Tito, bent (ironically) on showing their wives the serenity that belongs to virtue, arrive with Casimira and

---

[21] Rojas and Shakespeare seem to be the only two writers who make any effort to portray the feelings of guilt and remorse which prey upon the rapist. In other treatments, Sextus Tarquin withdraws from Lucretia's bed gloating over his conquest. Malvezzi, for example, says: "Parte Tarquino tan alegre como triunfante" (p. 127v.). On the other hand, in Shakespeare's poem we read:

> Even in this thought through the dark night he stealeth,
> A captive victor that hath lost in gain;
> Bearing away the wound that nothing healeth,
> The scar that will, despite of cure, remain;
> Leaving his spoil perplex'd in greater pain.
> She bears the load of lust he left behind,
> And he the burden of a guilty mind.
> . . . .
> He runs, and chides his vanish'd, loathed delight.
>   (*The Rape of Lucrece*, vv. 729 ff.)

It is worthy of note that in the *Silva topográfica* included in his *Obras varias al Real Palacio del Buen Retiro* (Madrid, 1637), Rojas' contemporary, Manuel de Gallegos, Portuguese poet and dramatist who wrote in Castilian, mentions that if Tarquin had seen Guido Reni's painting of the death of Lucretia, he would have repented for his deed:

> Si ensangrentada el pecho cristalino
> (en essa tabla, donde Guido muestra
> el poder milagroso de su diestra)
> viera a Lucrecia el bárbaro Tarquino
> de su tirano amor se arrepentiera;
> y a la lástima tanto se rindiera,
> que en lágrimas el alma distilara,
> y la pieded su culpa castigara.
>   (fol. 6v.)

Lavinia at Lucrecia's home. Colatino and his companions arrive separately at the house. Symbolically, it is in utter darkness. Her friends and relatives gathered, Lucrecia makes her final speech.[22] As she laments over the catastrophe that has befallen her, she insists that she was a faultless victim (and makes it clear that it was her inert body that Sexto ravished). Then, pondering over the cause of her tragedy, Lucrecia perceives that her virtue, her *honestidad,* was responsible for her undoing:

> Pero ¿quién pudo alentar
> aquel sacrílego monstruo
> a tanta maldad? ¿Fue acaso
> mi honestidad? ¿Cómo, cómo
> el más pernicioso vicio
> halló en la virtud apoyo?
> (*Act III*, vv. 2120-2125)

It is no wonder that Lucrecia's recognition is put in the form of a question. One always remains somewhat incredulous on discovering the truth of a paradox. In commenting on the death of the dove in Act I, Lucrecia was so sure that virtue is its own reward. It may be; but it is hard for her to realize (as insinuated throughout much of the last two acts) that virtue may also earn disaster.

Finally, rather than ask her family to take revenge, Lucrecia refuses to permit her would-be avengers to become involved in a blood-feud, preferring "to take vengeance upon herself" by committing suicide.[23] Wisely Rojas did not

---

[22] Lucrecia's final speech is largely a versification of the translation, as may be seen in the note to vv. 2062 ff.

[23] Rojas differs from Malvezzi and most other writers in whose works Lucretia exhorts her kinsmen to take revenge on the Tarquins. Malvezzi does not attempt to conceal his displeasure because the bereaved husband and father failed to make immediate and energetic reprisals:

> Llorauan el padre, y el marido inutiles lagrimas sobre el cadauer de Lucrecia; hazian compassible aquel caso, que no siendo natural, deuia antes incitarles al enojo, y animarles a la vengança, que mouerles a la misericordia, y bañarles en el llanto (fols. 102v.-103r.).

Although Rojas is noted for his frequent departures from the honor code, I do not think that his concern here was to express disapproval of conventional vengeance (for, as a matter of fact, the promised second part of the play was to deal with "la venganza de su esposo"). Rather, Rojas' aim was precisely, in the words of Malvezzi, to make "compassible aquel caso" and "mouerles a la misericordia"; that is, to focus attention on one element of the traditional catharsis of classical tragedy: the pity of Lucrecia's death.

extend the action of the play beyond Lucrecia's death. Wisely he did not clutter up the conclusion with scenes designed to gratify the spectators' sense of outraged justice by showing Sexto Tarquino getting his deserts. There is only the promise that retribution will be had.

In summary, Rojas' *Lucrecia y Tarquino* is an excellent example of Spanish Baroque dramaturgy applied to a subject of classical antiquity. Because of the fact that the story was familiar to his audience, Rojas deliberately sought to create tension by obscuring and deferring the main conflict between Sexto Tarquino and Lucrecia, who do not meet until the final scene of the second act. However, the climate and mood of inevitable tragedy is early established by means of portentous symbolism, poetic imagery of ruin and destruction, and sharp contrasts of unevenly matched characters. The elaborate foreshadowing of the first half of the play reaches its height in Lucrecia's disdainful rejection of the deceitful world as she extols the dove (symbol of Lucrecia herself) whose innocent death is to be envied because virtue is all that matters.

Simultaneously the theme of the deceptiveness of appearances is visually dramatized in the subplot when Sexto Tarquino deceives the Gabini into believing that he has rebelled against his father, although Bruto has continually insinuated that tragedy awaits all those who fail to recognize the truth. Subplot and main plot are thus thematically unified.

The comic interlude which divides the play symmetrically into two parts—preparation and resolution—also parallels and parodies the main plot, and acts as an ironic commentary upon it. And again, the interlude provides another of the striking contrasts which Rojas systematically creates and exploits for dramatic effect. The contrast of characters culminates in the meeting of the virtuous Lucrecia and the vicious Tarquino. While the difference between appearance and reality is an abiding theme of the play, the most pervasive esthetic quality is irony. Theme and esthetic are fittingly combined in the paradox that it is primarily Lucrecia's *honestidad* which incites the *loco amor* of Sexto Tarquino. From the conflict of these opposing qualities comes the tragedy: Lucrecia's blameless death which she earlier felt was sufficient reward for virtue. Thus she who most scorned the deceitful world becomes its principal victim.

As the first part ends, one can only feel strong pity at Lucrecia's death. There is no feeling that all has been worthwhile; there is no sense of betterment. But we know that Rojas intended to (and perhaps did) write a second part. If it is legitimate for us to look beyond Lucrecia's death to what did happen, we can find that peculiar contentment that tragedy so often brings. The sacrifice of

Lucrecia the dove in the holocaust of Sexto Tarquino's passion serves as an atonement. It led to the expulsion of the Tarquinos and to the reestablishment of an orderly world where, for a while at least, the inferior did not have to live foolishly with his truth and the powerful could no longer live sagely with his lie.

OTHER PLAYS ON THE THEME OF LUCRETIA

Although I have made no attempt to catalogue all the plays written about Lucretia, I think it safe to say that surprisingly few playwrights have tried to dramatize her martyrdom, perhaps because they have found the incidents of her tragedy too difficult—or unsuitable—for scenic representation.[24] Only two Spanish plays about Lucretia have found their way into the histories of the Spanish theater. To them we shall give brief attention.

Juan Pastor's *Farsa o Tragedia de la castidad de Lucrecia* is believed to have been written in 1528.[25] Leandro Fernández de Moratín has left this cryptic commentary on the play: "Está escrita en quintillas con pie quebrado, mala versificación, insufribles impertinencias del negro y del bobo."[26] Adolfo Bonilla y San Martín, who edited the play on the occasion of its modern reprinting, is not much more flattering about it or its author:

> Juan Pastor, en el preámbulo en prosa de su *Farsa,* cita como única fuente de la misma el libro *cuarto* de las *Antigüedades romanas* de Dionisio de Halicarnaso. No se ha de inferir de esto que Pastor fuese un humanista, docto en las lenguas griego y latina, y enamorado de la belleza clásica. Por el contrario, debió de ser hombre de muy mediana cultura, y no muy favorecido por las Musas. No otra cosa demuestra la lectura de la *Farsa de Lucrecia,* donde no se destacan, ni la versificación, ni los incidentes, ni la trama principal, por ninguna cualidad brillante.[27]

Juan Pastor's critics seem to have been unappreciative of the fact that not

---

[24] For an excellent study of the theme of Lucretia in world literature, including drama, see H. Galinsky, *Der Lucretia-Stoff in der Weltliteratur* (Breslau, 1932).

[25] Leandro Fernández de Moratín, *Orígenes del teatro español,* in the *Obras de Don Nicolás y de Don Leandro Fernández de Moratín,* vol. II of the *BAE* (Madrid, 1944), p. 191.

[26] *Ibid.*

[27] "Cinco obras dramáticas anteriores a Lope de Vega," *Revue Hispanique,* XXXVII (1912), 395.

only was his *Farsa o Tragedia* one of the earliest Spanish tragedies but also among the earliest European plays, if not the first, on the theme of Lucretia.

It is improbable that Rojas knew Juan Pastor's play; it is also unlikely that later Spanish dramatists who wrote about Lucretia utilized Rojas' tragedy. Although presumably written only a few years after it, Agustín Moreto's *Baile de Lucrecia y Tarquino* (transcribed in the Appendix) is a gay burlesque of the rape of Lucretia rather than a parody of a particular play.

Nicolás Fernández de Moratín, whose *Lucrecia* is one of the earliest "original" tragedies of the neoclassical movement in Spain, could have profited by being familiar with Rojas' play but there is no indication that he knew it. The elder Moratín's tragedy was first printed in 1763, a year after the publication of his comedy *La Petimetra*. Neither work succeeded in reaching the stage, but the author's illustrious son, Leandro, thought that the tragedy was superior to the comedy. He wrote:

> La *Lucrecia* . . . es obra de mayor mérito, aunque la elección del argumento parece poco feliz, el progreso de la fábula entorpecido con episodios inútiles, y el estilo muy distante a veces de la sublimidad que pide este género.[28]

A son never damned a father's work with fainter praise.

Perhaps Moratín's *Lucrecia* deserved a better fate—and a better word—than it received, but not much better. It is ironical that in his clumsy adherence to neoclassical principles Moratín fell far shorter of capturing the spirit of classical tragedy than did Rojas with his willful Baroque dramaturgy.

Three seventeenth-century European plays (a comparative study of which I hope to publish elsewhere) bear mention here because of their proximity to the date of Rojas' tragedy. The earliest is Thomas Heywood's *The Rape of Lucrece*, first printed in 1608. It is a rambling, disjointed play about which J. Addington Symonds says:

> *The Rape of Lucrece* . . . is nothing but the narrative of Livy divided into tableaux with no artistic consistency. It contains the whole story of Tullia's ambition and the death of Servius, the journey of Brutus to Delphi, the fulfilment of the oracle, the betrayal of Gabii, the camp at Ardea, the crime of Tarquin, the rising of the Roman nobles, the war with Porsena, and the stories of Horatius

---

[28] In the *Discurso preliminar* to his *Comedias, BAE*, II, 316.

and Scevola. The characters are devoid of personal reality. Lucrece herself is more a type of innocence than a true woman. Of the minor characters which fill out the play, by far the most original is Valerius. . . . Instead of fooling, sulking, or gaming, as the other nobles do beneath the Tarquin tyranny, he does nothing but sing. . . . When Valerius first hears of the outrage offered to Lucrece, he breaks out into a catch of the most questionable kind, together with Horatius and a Clown. The whole matter is turned to ridicule, and it is difficult after this musical breakdown to read the tragedy except as burlesque.[29]

Admirers of Baroque drama who look with favor upon the admixture of the tragic and the comic should not be too quick to think that Mr. Symonds was being overly fussy about the dissonant note struck by Heywood's catch. Coming immediately after the rape, it begins:

> VALERIUS. Did he take fair Lucrece by the toe, man?
> HORATIUS. Toe, man?
> VALERIUS. Ay, man!
> CLOWN. Ha ha ha ha ha, man!

Although Rojas was quite as capable as Heywood of pandering to his audience, his interpolated skit of the contest among the goddesses is (besides being "functional") mild in comparison with Heywood's ribald song. Spaniards of classical bent who deplored the Golden Age *comedia* because they thought that its extravagances made Spain the laughing-stock of Europe should have read more widely in the drama of other countries. They would have found cause for comfort in Heywood's *Rape of Lucrece*.

Earliest of the six tragedies of Pierre Du Ryer, *Lucrece, tragédie* was first printed in 1638, although Professor Lancaster believes that it was performed two years earlier.[30] If this assumption is correct, Du Ryer's tragedy was composed during that critical period of the mid-1630's when the French theater began to favor "regular" tragedies constructed along strict classical lines. Partisans of the new classicism who denounced so vehemently the irregularities

---

[29] In the Introduction to *The Best Plays of the Old Dramatists. Thomas Heywood,* ed. A. Wilson Verity (London, 1888), pp. xxiii-xxiv.

[30] Henry Carrington Lancaster, *Pierre Du Ryer, Dramatist* (Washington, D. C., 1912), p. 83.

of Corneille's *Cid* would have found little fault with Du Ryer's highly disciplined tragedy. It conforms on every count to the emerging new orthodoxy.

The same is not true, however, of Urbain Chevreau's *La Lucresse Romaine*, printed in 1637. Although it preserves the unity of time and contains no comic elements (aside from the amusing ludicrousness of some serious moments), the unity of place is disregarded, the scene being laid several places. Numerous episodes having no connection with the main action are introduced, presumably to provide the context in which Lucresse's tragedy is set, but they are poorly chosen and awkwardly dramatized. Whereas Du Ryer's tragedy lacks variety and movement, one cannot make the same criticism of Chevreau's play. But it has more serious faults: it lacks coherence and artistic truth.

Although Du Ryer, Chevreau and Rojas may have been engaged in writing their plays at the same time, there is no evidence that they knew one another's work. As far as is known, Rojas' tragedy influenced no later play. It had no *refundiciones*.

LVCRECIA, Y TARQVINO.

COMEDIA FAMOSA

DE DON FRANCISCO DE ROXAS.

42

[PERSONAS]

TARQUINO, *rey viejo*

SEXTO TARQUINO ⎤
TITO   ⎬ *sus hijos*
AC[R]ONTE   ⎦

COLATINO

BRUTO

LUCRECIA

JULIA, *criada*

CLOANTO

ESPURIO, *viejo*

LAVINIA

CASIMIRA

FABIO

[PERICLES]

[PARIS]

[MÚSICO]

[SOLDADOS]

[ACOMPAÑAMIENTO]

[DOS MÁSCARAS]

JORNADA PRIMERA

Salgan el REY TARQUINO, *viejo,* SEXTO TARQUINO,
TITO *y* ACRONTE, *sus hijos, y* COLATINO,
BRUTO *y* ACOMPAÑAMIENTO.

REY.	Hoy, ¡oh Sexto Tarquino!, hoy es el día
	que aseguro por ti mi monarquía;
	y hoy, Colatino, en tu valor contemplo
	de lealtad y valor un raro ejemplo.
COLATINO.	Al príncipe, señor, se debe todo.
REY.	Decidme el caso, referidme el modo.
	Tú, Sexto, empieza; oigan tus hermanos
	y aprendan, si se precian de romanos.
SEXTO.	Con los pocos soldados
	que estaban en tus tiendas alojados,
	en ira, en sangre y en furor envuelto
	llegué al Senado, intrépido y resuelto.
	Cerráronme las puertas,
	mas fueron luego con violencia abiertas;
	que en levantando el vengativo brazo,
	ni en rastillos ni en puertas me embarazo.
	Un venerable anciano,
	cano en la causa, y en el seso cano,
	a la puerta se puso,
	y en alta voz esta razón propuso:
	"No la puerta rompida,
	no el temor de la muerte, no la vida
	—amable siempre, ahora despreciada—
	te han de facilitar, Sexto, la entrada;

Line numbers: 5, 10, 15, 20

que primero, sospecho,   25
has de abrir, para entrar, puerta en mi pecho.
¿A Roma, a Roma cautivar pretendes?
¿Cómo la libertad, tirano, ofendes
sin reparar que desto, lastimado,
llora el pueblo y da voces el Senado?   30
Los padres de la patria, a quien la fama
justamente venera y padres llama,
a este honor aspiraron,
y de toda ambición se desnudaron.
Si imitarles deseas,   35
¿cómo soberbio en la ambición te empleas?
Si su sangre te abona,
¿cómo altivo pretendes la corona?
Si veneras sus plantas,
¿cómo ambicioso el cetro te levantas?   40
Rompe mi pecho, mi valor profana,
abre puerta por esta barbacana."
Yo, que por ley del hado
nací a violencias tales inclinado,
menospreciando el orador prolijo,   45
abrí puerta en su pecho como él dijo;
que no hará nada en tales ocasiones
si el que reinar pretende oye razones.
"Si vienes a morir," dije, "en mi acero,
a matar vengo yo; muere el primero;   50
préciate de ese honor, si te es bastante."
Murió al fin, y pasemos adelante.
Llegué al Senado; halléle en arma puesto;
mas ¿qué importó si quien entró era Sexto,
y el temor los tenía ya de suerte   55
que mi nombre, no más, les diera muerte?
Murió Servio, y probaron mis rigores
—después de Servio—veinte senadores,
y en partes diferentes,
sus deudos, sus amigos y parientes.   60
Y si importara al triunfo de tu solio,

   ardiera Montecelio y Capitolio,

   . . . .

   sangre noble que no la derramara.

   Sólo perdoné a Bruto, porque digo   65

   que un loco no es capaz de mi castigo.

REY. Bien dices; que por loco importa poco.

BRUTO. (Ésa sí que es razón de un hombre loco. [*Aparte.*]

   Bien me salió la traza;

   no es loco el que de loco se disfraza.   70

   La vida gano en la opinión que pierdo,

   fingido loco y cauteloso cuerdo.)

REY. Refiere lo que has hecho, Colatino.

COLATINO. Yo, señor, abrasé el monte Esquelino.

   Al castillo de Tulio, en él fundado,   75

   un escuadrón del pueblo amotinado

   se había reducido,

   de armas y de temor fortalecido.

   Asaltéle por partes diferentes;

   y ellos, resueltos a morir valientes,   80

   en él se defendieron,

   y en altas voces libertad pidieron.

   Los ingenios y escalas

   a tus soldados les sirvieron de alas,

   y a mí que fui el primero   85

   que en la muralla desnudó el acero.

   Duró el tesón tres horas

   hasta que, ya tus armas vencedoras

   reconociendo, ceden la vitoria

   los cercados, e yo canto la gloria.   90

   Y en modos compasivos

   lloré los muertos, perdoné los vivos;

   porque, a menos violencia

   rendidos, te juraron obediencia.

   Mas, porque ya no sea   95

   ocasión el castillo en que se vea

   otra vez profanado

   el nombre tuyo, lo dejé abrasado.

   Si arder le vieras, si a mirar atento

del voraz elemento   100
la irreparable actividad miraras,
no dudo, gran señor, que te admiraras.
La llama del intrépido elemento,
flamante espada que esgrimía el viento
entre humo y centellas,   105
cintarazos les daba a las estrellas,
—y si esto no presumo—
que quedaron tiznadas con el humo.
Todo un volcán, todo un incendio era.
Crujía la madera,   110
la piedra rechinaba,
la cal ardía, el hierro se ablandaba;
y del incendio abrasador, recelo
que temblaron las bóvedas del cielo.
Aquí de un torreón la pesadumbre   115
por caer titubea de su cumbre.
Sin lengua dice a voces, "¡que me abraso!"
Regatea el caer, teme el fracaso,
y apenas lo ha dudado,
cuando se ve en ceniza transformado.   120
Allí un muro valiente
en vano se resiste al fuego ardiente;
todo es horror, lamentos, confusiones;
capiteles y almenas son carbones;
y sin que de su forma quede indicio,   125
sombra se mira el que se vio edificio.

REY.   Estimo tu lealtad; que en ella veo
logrado, Colatino, mi deseo;
pues, a pesar de nobles y villanos,
me veo por vos hoy rey de romanos.   130

TITO.   Así el pueblo lo dice y apellida.
                                        (Dentro.)

[GENTE.]   ¡Viva Tarquino rey! ¡Tarquino viva!
COLATINO.   Señor, ya que llegaste y que te veo
en la cumbre de tu deseo,
gana el pueblo advertido;   135
que es mejor ser amado que temido.

REY.   Colatino, yo agradezco
               el consejo que me das;
               pero ¿a quién le debo más:
               a la crueldad que apetezco   140
               y que me ha dado, sangrienta,
               el cetro en un solo día;
               o a la piedad que corría
               perezosa, tibia y lenta?
               Nadie me podrá negar,   145
               por más que intente argüir,
               que el medio de conseguir
               lo es también de conservar.
               Con el temor y el rigor
               al principado he llegado;   150
               sea, pues, el principado
               conservado del temor;
               que ilustra más mi persona
               la sangre de esos tiranos
               que está tiñendo mis manos,   155
               que el oro de mi corona.
COLATINO.   No, señor, no es acertado
               usar del mismo remedio
               que para adquirir fue medio,
               para conservar tu estado.   160
               Cese el rigor comenzado,
               porque el enfermo tal vez
               se desazona después
               con lo mismo que ha sanado.
SEXTO.   Contra esa razón hay muchas   165
               no menos fuertes.
COLATINO.   No sé
               cuáles son.
SEXTO.   Yo las diré
               si atentamente me escuchas.
               Cuando un sujeto se cría
               desde la cuna y el pecho   170
               con venenos, le es provecho
               lo que a otro muerte sería;

porque la costumbre es tal,
si con el tiempo se observa,
que le alimenta y conserva   175
aquel veneno mortal.
Ésta es razón superior
aun a las más superiores:
reino que empieza en rigores,
consérvese con rigor.   180

REY.   A tu parecer concedo
primer lugar y mejor,
pues ya le debo al rigor
lo que negarle no puedo.
Eres mi hijo, en efeto,   185
y apercibo en tus entrañas
un lienzo de mis hazañas,
un parto de mi conceto.
Prevénganse las legiones;
que hoy determino sitiar   190
a los gabios para dar
principio a nuevos blasones.
Tú, Colatino, tendrás
parte en el bien que repito,
y a Sexto Tarquino y Tito   195
y Acronte asistir podrás.
Sean mis hijos soldados
de tu doctrina advertidos,
de tu valor corregidos,
y de tu industria enseñados.   200

COLATINO.   Beso mil veces tus pies
por tal favor.

BRUTO.   (Colatino   (Aparte.)
se acordará de Tarquino.)

SEXTO.   ¿Qué dices?

BRUTO.   Que el interés
hace al hombre irracional;   205
porque es dulce tiranía
cambiar el favor de un día
a la sujeción bestial

de un siglo, siendo, en efeto,
esclavo del interés;   210
pues viene a verse después
menos hombre y más sujeto.

SEXTO. Todo es locura, señor,
cuanto Bruto dice y hace.

BRUTO. (La opinión me satisface.   (*Aparte.*)   215
Siempre es bruto el inferior.
Nunca acierta en lo que dice;
lo que hace es despreciado,
porque en todo principado
su verdad es infelice.   220
Y como siempre se mira
a la sombra del desprecio,
en su verdad vive necio,
sabio el rico en su mentira.)

REY. Sexto, la sagacidad   225
nos ha de dar la vitoria;
débale esta vez la gloria
y triunfe la majestad.
Tú te has de entrar, cuando estemos
a la vista de los gabios,   230
fingiendo ofensas y agravios
míos, con grandes extremos.
Entre ellos serás creído,
de su ignorancia engañada.
Di mal de mí; persuada   235
tu retórica su oído
para alcanzar la vitoria;
que una acción bien conseguida,
el que la abomina, olvida
la afrenta y canta la gloria.   240
Esto has de hacer.

SEXTO.   Tu valor
siempre en la obediencia me halla
con prevención.

REY.   Obra y calla.

SEXTO.	Despierte el marcial rumor
	los ánimos; la inquieta
	juventud las armas tome;
	del gabio la cerviz dome,
	y a [Roma] viva sujeta.
REY.	Muévaos impulso divino;
	todos mi nombre aclamad.
BRUTO.	(Pues murió la libertad, [*Aparte.*]
	romanos), ¡viva Tarquino! (*Vanse.*)

245

250

Salen LUCRECIA *y* JULIA, *dándole de vestir.*

LUCRECIA.	Dame de vestir; y advierte,
	Julia, que es muy tarde, y quiero
	que me despiertes primero
	que otro en mi casa despierte.
JULIA.	Aun es temprano, señora.
LUCRECIA.	Quien casa y familia tiene,
	dormir menos le conviene;
	no es bien que duerma hasta ahora.
	Porque en ella es bien que adviertas
	que hacen señores dormidos
	criados poco advertidos
	y criadas muy despiertas.
JULIA.	¿Quieres—pues es hoy el día
	que se hacen fiestas a Palas—
	vestir diferentes galas?
LUCRECIA.	No, Julia, esta gala es mía.
JULIA.	¿Siempre vestida has de estar
	de un modo? Ponte hoy siquiera
	la nacara[da] pollera,
	la leonada o verde mar.
	Ponte el celeste vestido
	con flores y lazos de oro,
	a tu divino decoro
	y a tu hermosura debido.
	Sal a ganarte despojos
	entre las matronas bellas,
	y en aquel cielo de estrellas

255

260

265

270

275

	presida el sol de tus ojos.	280
	De tu hermosura te precia,	
	pues tu fama te asegura;	
	y en la gala y hermosura,	
	conozca el mundo a Lucrecia.	
LUCRECIA.	Julia, este vestido basta;	285
	y aun es sobrado vestido,	
	a los ojos de un marido,	
	en la mujer noble y casta.	
	Y juzga infalible cosa	
	que la que es cuerda y honrada	290
	es—cuando más ignorada—	
	más bizarra y más hermosa.	
JULIA.	Si el cielo galas te dio	
	y riquezas no pequeñas,	
	¿por qué, señora, desdeñas	295
	eso que el mundo estimó?	
LUCRECIA.	Las galas se han de tener	
	solamente por tenellas,	
	mas no para usar mal dellas;	
	que en una ilustre mujer,	300
	cuando éstas son con exceso,	
	sólo sirven de ocasión	
	o a la murmuración	
	de algún ingenio travieso,	
	o de encender y alentar	305
	en el cortesano airoso,	
	si efecto no vitorioso,	
	vitorias que desear;	
	porque para su conquista,	
	el discurso que le asiste	310
	le dice que la que viste	
	galas desea ser vista.	
	Y yo, que en tales batallas	
	no poner mi honor intento,	
	con tenerlas me contento,	315
	y las desprecio en no usallas.	
	Dame las guantes, y mira	

	quien a la antesala ha entrado.	
JULIA.	Fabio es, señora; el criado	
	de la hermosa Casimira.	320
LUCRECIA.	Di que entre.	

Sale FABIO

FABIO.	Con licencia		
	—que ya, señora, escuché—		
	dichoso llego a tu pie,		
	y turbado a tu presencia.		
	(¡Qué honestidad tan hermosa!	(*Aparte.*)	325
	¡Qué compostura tan bella!)		
LUCRECIA.	Fabio, ¿qué se ofrece?		
FABIO.	(En ella	(*Aparte.*)	
	venera injurias la rosa.)		
	De Lavin[i]a y Casimira		
	traigo, señora, un recado.		330
LUCRECIA.	¡Tanto favor!		
FABIO.	Han trazado		
	(su compostura me admira)	(*Aparte.*)	
	a los años de su alteza		
	un festín, y a convidarte		
	me envían, porque más parte		335
	su amor tenga en tu belleza.		
	Comedia hay disparatada,		
	máscara, sarao; y en fin,		
	quieren que honres el festín.		
LUCRECIA.	A merced tan señalada,		340
	a favor tan singular,		
	¿qué puedo yo responder		
	si/no, humilde, agradecer		
	lo que no puedo pagar?		
FABIO.	Vivas mil años; que al fin,		345
	no esperé menos respuesta.		
	Ahora el festín es fiesta;		
	que sin ti fuera festín;		
	y al nombre *fiesta* me inclino,		

	aunque Italia lo condene	350
	por lo que la fiesta tiene	
	del género feminino.	
	Fiesta es, y fiesta dichosa	
	con tu presencia y tu agrado;	
	y el que era festín barbado	355
	ya será fiesta y hermosa.	
	Y tú, Julia, ¿no has de ser	
	de fiesta?	

JULIA.   Si mi señora
           Lucrecia va, ¿quién lo ignora?

FABIO.   ¡Oh qué galán me has de ver   360
           cuando el papel represente
           de la comedia que ordeno,
           todo de donaires lleno!

JULIA.   ¿Sábesle ya?

FABIO.   De repente;
           uso nuevo y de primor,   365
           sin que de estudio se trate,
           donde el mayor disparate
           es el donaire mayor.

LUCRECIA.   Apartad, Fabio, apartad.
           ¿Quién os ha dado licencia   370
           para hablar en mi presencia
           con Julia?

FABIO.   (¡Linda frialdad!)   (*Aparte.*)
           En una fiesta como ésta
           podemos hablar los dos.

LUCRECIA.   Pues, ¿quién os ha dicho a vos   375
           que yo quiero ser de fiesta?

FABIO.   Yo entendí.

LUCRECIA.   Es mucho entender
           sin responder yo primero.

FABIO.   Soy, señora, un majadero.

LUCRECIA.   Esto podéis responder: 380
           que estimo, como es razón,
           haberse de mí acordado,
           aun cuando no han granjeado

mis méritos su afición.
Y a tal favor obligada,   385
les suplico humildemente
que a mí en el festín presente
me tengan por excusada;
que ocupaciones caseras
y domésticos cuidados,   390
si no son grillos pesados,
cadenas son no ligeras.
Y acudir primero es justo
a aquellas cosas que son
de precisa obligación   395
que a las que apetece el gusto.
Este recado llevad,
Fabio; y de mi parte os ruego
les beséis la mano, y luego
disculpéis mi cortedad.   400

FABIO.   Tu modestia y cortesía
dan a mi modestia ocasión.
(Éstas las mujeres son   *(Aparte.)*
que honran una monarquía.
Las vanidades desprecia   405
que estima el mundo engañoso.
¡Oh Colatino, dichoso
en el valor de Lucrecia!)   *(Vase.)*

JULIA.   ¿Por qué, señora, no admites
el convite y el favor?   410

LUCRECIA.   Téngoles, Julia, temor
a semejantes convites.

JULIA.   ¿Temor con señoras tales,
que son nueras, cuando menos,
del rey? Nunca entre los buenos   415
temas peligros ni males.

LUCRECIA.   Así lo presumo yo;
mas si miramos los fines,
nunca de tales festines
cosa buena resultó.   420
Allí se toman licencia

para hablar con libertad,
el noble en su libertad,
y el plebeyo en su insolencia.
Y déste y de aquél se obliga   425
a oír la cuerda y honesta
una razón descompuesta,
como por festín se diga;
porque ya se ha introducido
el dar nombre disfrazado   430
de airoso al desvergonzado;
de agudo, al entremetido;
de discreto, al malicioso;
despejado, al insolente;
linajudo, al maldiciente;   435
al blasfemo, de gracioso.
Y así, aunque más cuerda esté
la mujer donde esto pasa,
no vuelve, Julia, a su casa
tan honrada como fue.   440

JULIA.   No tengo, señora, más
que responderte ni hablarte;
tú sabes aconsejarte.

LUCRECIA.   Hazlo así y acertarás.

JULIA.   Colatino, mi señor,   445
viene con Bruto—o salvaje.

LUCRECIA.   Son las nuevas más alegres,
Julia, que pudieras darme.

Salen COLATINO *y* ESPURIO, *viejo, y* BRUTO *como loco.*

COLATINO.   Lucrecia.

LUCRECIA.   Esposo y señor.

COLATINO.   Por lo que tengo de amante,   450
de galán y de marido,
llego temoroso a hablarte.

LUCRECIA.   ¿Cómo, señor?

COLATINO.   Quiere el rey
que a sus hijos acompañe
en la guerra que previene   455

contra los gabios; y en tales
ocasiones no hay ninguno
que, prudente, no repare,
no discurra, no prevenga
riesgos, peligros y males.   460
Es el honor tan de vidro
que si no llega a quebrarse,
teme que el aire le ofenda,
o que el aliento le empañe.
Y es tan basilisco el pueblo   465
que, inficionando los aires,
los ojos de su malicia
le manchan sin que se manche.
No digo esto porque piense
que de tan bajos [quilates]   470
es mi honor que temer pueda
de la malicia, el contraste;
de la presunción, la duda;
ni de la duda, el desaire.
Mas, como no tiene menos   475
de cuerdo que de galante
amor, previene desdichas
y duda felicidades.

LUCRECIA.   A no ser mi honor tan mío,
pudiera, señor, turbarse,   480
viendo adelantado un miedo
que me constituye fácil.
Pero como en mí no son
los afectos repugnables
a la razón, no peligra   485
en lo prudente lo amante.
Lo que en vos, señor, es fuerza,
en mí será yugo suave;
que a vuestras obligaciones
se ajustan mis voluntades.   490
No quiero yo ser tan mía
que me conceda más parte
en mi propio ser que aquélla

que de vuestro gusto nace;
que, como por elección   495
soy vuestra, lo que faltare
a mí misma, ganaré
de atenciones venerables.
Bien podéis partir sin miedo
de que en esta ausencia falte   500
vuestro respeto a mis ojos,
ni mi honor a vuestra sangre.

COLATINO.   No quiera el cielo, bien mío,
que en ocasión semejante,
ni de ese temor me acuite,   505
ni de esa duda me agravie.
De la falta, sí me quejo
de vuestros ojos süaves;
que, como yo vivo en ellos,
temo que el vivir me falte.   510
Pero daré a la esperanza
socorridas facultades
para que vidas dispense
generosamente grande[s],
divinamente dichosas   515
y dichosamente amables.

BRUTO.   (Si hay gloria fuera del cielo,   (*Aparte.*)
amor solo darla sabe;
que en esto, ventaja lleva
amor a esotras deidades.   520
¡Oh dichoso Colatino;
dichoso, pues hallaste
mujer que sabia obedece,
y que amar honesta sabe!)

COLATINO.   ¿Qué dices, Bruto?

BRUTO.   Que el cielo,
que sujetó las ciudades
a los Tarquinos, no quiso
que las almas sujetasen.
Tú, que en esta parte reinas,
ruega al cielo que esta parte,   530

	o la olvide su ambición,	
	o por divina se escape.	
COLATINO.	De tus locuras me río.	
BRUTO.	Yo no; que entre disparates	
	los vaticinios de un loco	535
	tal vez se lloran verdades.	
COLATINO.	Vamos, Lucrecia; que quiero	
	prevenirme y aprestarme	
	para que el rey no me espere,	
	y para que el campo marche.	540

(Cae una paloma blanca atravesada con una saeta.)

	Pero, ¿qué es esto que miro?	
	Por la ventana que sale	
	al campo, paloma humilde,	
	herida de arpón infame,	
	entró; y cayendo a mis pies,	545
	me los salpicó con sangre.	

(Alza COLATINO *la paloma.)*

BRUTO.	(Prodigio extraño, amenaza [*Aparte.*]	
	de tragedias miserables.)	
COLATINO.	¡Oh cazador mal nacido!	
	¡Plega a los cielos que un áspid	550
	entre las flores te muerda	
	cuando más seguro caces!	
	¡Fatigados y afligidos	
	del sol, tus lebreles rabien;	
	y en odio de tu ejercicio,	555
	furiosos te despedacen!	
LUCRECIA.	¿Por qué, señor, tanto enojo?	
	¿Sucesos tan naturales	
	han de alterar tu sosiego?	
	¿Qué has visto para admirarte?	560
	¿Qué estrella, qué astro luciente	
	se desató de su engaste,	
	precipitando desmayos	
	de trémula luz cobarde?	
	¿Matar un ave es prodigio?	565
	¿Presagio es morir un ave?	

Ea, señor, que parece
que anticipas los pesares;
y donde tanto se temen,
pueden más y vienen antes.   570
Si el hado fatal permite
que el pecho casto derrame
líquido rubí inocente,
esa inocencia le baste.
¿Qué vida como una muerte,   575
si lastimosa, inculpable,
cuya piedad hace hermoso
el más sangriento cadáver?
¿Qué vivir como morir
a los ejemplos constante,   580
lágrimas pidiendo siempre
a las futuras edades?
Muera el casto pecho al hierro
antes que a la ofensa, y antes
que ocasione pensamientos   585
que injustamente le infamen.

COLATINO.   En tus razones heroicas
hallé consuelo bastante.
¡Oh tú, en cordura y prudencia
epílogo de ejemplares!   590
Tu amparo llevo, y con él
no temo el rigor de Marte.

LUCRECIA.   Contigo [van] mis suspiros.

COLATINO.   Nunca otro bien me acompañe.

LUCRECIA.   Parte tendré en tus peligros.   595

COLATINO.   Yo en tus soledades parte.

LUCRECIA.   La tierra falte a quien mienta.

COLATINO.   La tierra falte a quien falte.

Salgan CLOANTO *y* [PERICLES], *capitanes
de los gabios, y soldados, marchando.*

CLOANTO.   Mucho, mucho quisiera,
oh valerosos gabios, persuadiros   600
al peligro—que el sabio considera—

en la acción de cercaros y oprimiros,
ya con halagos, ya con vigilancia,
del soberbio Tarquino la arrogancia.
Su cauteloso engaño   605
dirige a vuestro daño;
sus cautos pensamientos
a vuestra sujeción corren atentos.
No es Tarquino persona
que con la autoridad de la corona   610
a la igualdad introducirse quiera,
que entre nosotros vive y persevera.
Por más blandos caminos
se hizo obedecer de los latinos,
y si a Turno creyeran,   615
sujetos a Tarquino no estuvieran.
Las figuras mayores
lejos se proporcionan a mejores;
y los que nos exceden,
con la distancia tolerar se pueden.   620
Resistid, pues, la entrada
deste fiero león solicitada;
y cada cual, valiente,
—ya que el ajeno daño ve presente—
o se resuelva en arriesgar la vida,   625
o llore ya la libertad perdida.

[PERICLES.]   Todos, Cloanto, a tu razón atentos,
morir ofrecen, y morir contentos
por la patria; que en tales ocasiones
vida es la muerte, y gloria las acciones.   630

CLOANTO.   Todo está en vuestra mano.
¡Viva la libertad! ¡Muera el tirano!
Mas ¿qué es esto que veo?
O me engaña la vista o el deseo;
del campo de Tarquino   635
un hombre huyendo a nuestras puertas vino.

[PERICLES.]   Y sin armas, resuelto y arrojado
de un caballo se apea.

CLOANTO.   Ya ha llegado.

Salga SEXTO TARQUINO *sin espada.*

SEXTO.   Veis aquí, oh gabios, un hijo
          que se libró del acero   640
          de su padre riguroso,
          para cobrarse en el vuestro.
          Sexto soy, Sexto Tarquino,
          y de Tarquino soberbio
          hijo, aunque mejor dijera   645
          despojo suyo sangriento,
          víctima que alimentaba
          para ofrecer en el templo
          de su crueldad; que a su sangre
          aun no perdona su imperio.   650
          Su crueldad, su tiranía,
          es un encendido fuego
          que cuando todo lo abrasa,
          se consume él a sí mesmo.
          Su sangre en la de su hijo   655
          busca, y pretende con esto
          hacer al fiero apetito
          plato extraordinario y nuevo,
          porque en los menos usados
          se asegura más provecho.   660
          Como a tantos ha ofendido,
          tiene temor y recelo
          de sus hijos; que al tirano
          crece en su potencia el miedo.
          Llegó al estado que veis   665
          por escalones sangrientos,
          y como en ellos se mira,
          teme descender por ellos.
          Más seguro de su furia
          estará el que esté más lejos;   670
          mejor es ser su enemigo
          que su hijo, pues es cierto
          que contra sus asesinos
          la enemistad es remedio.

Esto, oh gabios, solicito   675
en vosotros; sea ejemplo
vuestra piedad para afrenta
de sus tiranos deseos.
Cuando el padre es enemigo,
es necesario que luego   680
sean los enemigos, padres;
la ira para en respeto;
en lástima, la venganza;
los odios, en parentesco;
en amistad, la enemiga;   685
y la emulación, en deudo.
Yo quiero ser vengador
destas injurias; yo quiero
—así los hados lo ordenan—
ser el soplo deste incendio.   690
Apagar quiero esta llama;
embotar quiero este hierro;
allanar quiero este monte;
derribar este soberbio
edificio que amenaza   695
atrevidamente al cielo.
No ambicioso, no estadista,
quiero parte en el gobierno;
vosotros solos seréis
en la política dueños.   700
En la milicia, sí os pido
mucha parte; que pretendo
anticipar con la espada,
a mi venganza, trofeos;
a vuestra piedad, servicios;   705
y aplausos al escarmiento.
Vuestra república viva;
vuestra libertad deseo;
y muera, oh gabios, aquél
que indebidamente, al cuello   710
de vuestra quietud, pretende

pesado yugo poneros.
Si os admira ver un hijo
a su mismo padre opuesto,
admíreos también un padre   715
de sangre suya sediento.
No todos los hijos siguen
a los padres; ya se vieron
inobediencias premiadas
y abominados preceptos.   720
Si él me engendró, sólo fue
a incentivo del objecto,
o a lisonja del deleite,
o a vanidad de lo eterno
en la sucesión. Y al fin,   725
¿qué obligaciones le tengo
al que, antes de conocerme,
me deseó vivo, y viendo
su ser en mí trasladado,
vivo me desea muerto?   730
Ni por padre le conozco,
ni por señor le respeto,
ni hijo le solicito,
ni vasallo le obedezco.
A vosotros—o piadosos   735
o vengativos—os ruego
o que amparéis mi desdicha,
o que destronquéis mi cuello;
que cuando por lo segundo
desconozcáis lo primero,   740
y hagáis poca estimación
de la ocasión que os ofrezco,
como no muera a sus manos,
moriré alegre y contento.

CLOANTO.   ¡Suceso extraño!
[PERICLES.]   ¿Quién vió   745
tan peregrino suceso?

CLOANTO.   ¡Oh tirano! Si a tus hijos
                no perdonas, ¿qué podemos
                esperar tus enemigos?
                Ved si mi discurso es cierto,   750
                gabios; ponderad de un hijo
                agraviado el sentimiento.
[PERICLES.]   De la crueldad de tu padre,
                oh Sexto Tarquino, oh Sexto,
                hallarás en nuestro amparo   755
                abrigo, si no remedio;
                que los hijos que baldona
                la severidad del cuervo,
                a ajena puerta arrojados,
                viven del afecto ajeno.   760
                Toma las armas, y advierte
                no te condene este ejemplo
                al rigor de mayor culpa,
                cautelosamente reo.
SEXTO.   Primero a las manos vuestras   765
                muera mil veces; primero
                que vuestra razón me ofenda,
                me quite la vida el hierro;
                no muera yo a las palabras,
                habiendo cuchillo y fuego.   770
CLOANTO.   Dadle una espada a Tarquino.
SEXTO.   Gabios, ya ese nombre dejo.
                Sexto Tarquino es mi nombre,
                pero tanto dél me ofendo,
                que dejando el que es tan mío,   775
                sólo el de gabio apetezco.
[PERICLES.]   Eso no. Conserva el tuyo;
                que para cualquier suceso
                importa que seas Tarquino.
                              (*Dale una espada y rodela.*)
SEXTO.   (Lindamente lo he dispuesto.   (*Aparte.*)   780
                Valientemente he fingido.)

CLOANTO.   ¡Al arma toca!   *(Tocan al arma.)*
SEXTO.   Ya es tiempo
           que sepáis con la experiencia
           si agradezco o no agradezco,
           si soy gabio o soy Tarquino,   785
           si soy suyo o si soy vuestro.   *(Vanse.)*

JORNADA SEGUNDA

Salen el REY, TITO, ACRONTE, SEXTO, COLATINO *y* BRUTO.

SEXTO.

Con tal secreto he venido,
con tal recato y cuidado,
que aun la tierra que he pisado
pienso que no me ha sentido.   790
Quejéme de tu rigor,
y supe tan bien quejarme
que merecí acreditarme
con lástima y con dolor.
Tanto pude, y tanto gana,   795
aun en la más cauta oreja,
saber fingir una queja,
y oírla de buena gana.
Hiciéronme al fin—no más
que por tus consejos sabios—   800
cabeza suya los gabios.
Con esto, informado estás
de lo que me ha sucedido.
Saber sólo he deseado,
siendo ya príncipe amado,   805
¿cómo lo he de ser temido?
Que, aunque en mi valor pudieron
mis esperanzas crecer,
es gran contrapeso el ver
tan cerca l[o]s que me hicieron.   810
Soberbia condición mía,
pues ya hallado en el bien,

	no quisiera ver a quien	
	le debo la monarquía.	
REY.	Si los sucesos regulo,	815
	informarte quiero yo	
	con la respuesta que dio	
	Periandro a Trasibulo.	
	Tenía tus mismos temores;	
	pidió consejo, y en fin,	820
	entrándole en un jardín	
	lleno de hierbas y flores,	
	respondió sin responder,	
	dejando en él destroncadas	
	las hierbas más empinadas,	825
	dándole en esto a entender	
	lo que importa la igualdad,	
	y que es odiosa la planta	
	que se descuella y levanta	
	a igualar la majestad.	830
	Entendióle; yo imagino	
	la misma agudeza en ti.	

REY.   Si los sucesos regulo,   815
         informarte quiero yo
         con la respuesta que dio
         Periandro a Trasibulo.
         Tenía tus mismos temores;
         pidió consejo, y en fin,   820
         entrándole en un jardín
         lleno de hierbas y flores,
         respondió sin responder,
         dejando en él destroncadas
         las hierbas más empinadas,   825
         dándole en esto a entender
         lo que importa la igualdad,
         y que es odiosa la planta
         que se descuella y levanta
         a igualar la majestad.   830
         Entendióle; yo imagino
         la misma agudeza en ti.
SEXTO.   Son tus palabras en mí
         un oráculo divino;
         y lo que has dicho es bastante   835
         para entender y saber
         que en el jardín no ha de haber
         flor desigual ni gigante.
REY.   Huélgome que has entendido.
BRUTO.   (¡Oh tiranos—vive el cielo—   [Aparte.]   840
         que con estudio y desvelo
         a la crueldad dan oído!)
SEXTO.   Ahora has de dar licencia
         para que con mis hermanos
         y con Colatino quede,   845
         por divertirme algún rato.
BRUTO.   (¡Ah fiera ambición!)   [Aparte.]
REY.   Yo voy;
         que quiero estar con cuidado,

	previniendo lo que importa	
	a mi ejército bizarro. *(Vase.)*	850
SEXTO.	¿Has llamado quién nos cante,	
	por divertir este rato?	
BRUTO.	Ya viene el músico aquí. *[Sale un* MÚSICO.*]*	
SEXTO.	Cantad sin templar.	
MÚSICO.	Ya canto;	
	El difunto cuerpo llora	855
	la infelice Elisa Dido	
	del malogrado Siqueo,	
	lástima común de Tiro.	
ACRONTE.	¡Famosa mujer, por cierto!	
SEXTO.	Pocas como ella se han visto.	860
COLATINO.	Hoy tiene mujeres Roma	
	que fueran en otro siglo	
	capaces de eternizar	
	los mármoles de Lisipo.	
ACRONTE.	Yo por Lavinia, mi esposa,	865
	lo puedo afirmar, y afirmo.	
SEXTO.	Elisa fue muy hermosa	
	y muy honesta.	
ACRONTE.	Lo mismo	
	puedo decir de Lavinia.	
COLATINO.	Quien a Lucrecia no ha visto,	870
	no conoce la hermosura,	
	ni del ingenio y el brío	
	tiene noticia, ni puede	
	hacer de nada jüicio.	
	Porque lo cuerdo y lo hermoso,	875
	lo prudente y lo entendido,	
	lo airoso y [lo] recatado,	
	lo desenvuelto y lo lindo,	
	está en ella tan conforme,	
	vive con tanto art[i]ficio,	880
	que se abrazan los extremos	
	cuando más están distintos.	
	Y con todas estas partes,	

	y otras muchas que no digo,	
	no tiene más voluntad	885
	de la que yo le permito.	
ACRONTE.	Pues yo nunca he de ceder	
	al sujeto más divino	
	las partes que yo en mi esposa	
	reverencio y solemnizo.	890
BRUTO.	(Majaderos son los tres,	[*Aparte.*]
	a pagar de mis bolsillos.)	
	Dejad cantar a quien canta,	
	y no alabéis, divertidos	
	en vuestra imaginación,	895
	lo que no ha de ser vendido.	
	¿Son caballos las mujeres,	
	que se alaban de castizos,	
	de alentados, de brïosos,	
	de prestos, de corregidos,	900
	para venderlos mejor?	
	(¡Oh cuánto provoca el vicio!)	(*Aparte.*)
SEXTO.	La alabanza en las mujeres	
	es permitida.	
BRUTO.	Es delito	
	en las propias, porque en ellas	905
	toda noticia es peligro.	
SEXTO.	Quien habla mal las agravia.	
BRUTO.	Ese se agravia a sí mismo;	
	que en falta de mujer propia	
	siempre es culpado el marido.	910
SEXTO.	¿Y el que las alaba?	
BRUTO.	Busca	
	su perdición, su martirio;	
	que la alabanza despierta	
	los deseos más dormidos.	
SEXTO.	Todo bien comunicado	915
	se aumenta.	
BRUTO.	¿Y si por decirlo	
	se pierde? Queda del bien	
	la tema y dolor prolijo.	

No todos los bienes son
comunicables; que quiso 920
balanzar naturaleza
los gustos de los sentidos,
con poner en los mayores
deleites mayor peligro.
Los afanes del ingenio, 925
que están en nosotros mismos,
alábense; que no pueden
roballos los enemigos.
Mas la mujer y la hacienda
se han de gozar sin testigos; 930
ni se alaben ni publiquen,
porque la envidia es preciso
que en esa alabanza tenga
sus robos y latrocinios.

ACRONTE. Estará Lavinia ahora 935
ofreciendo sacrificios
al cielo por mi vitoria;
y en efeto, en su retiro,
no verá la cara el sol,
porque sus ojos no miro. 940

BRUTO. Así tengan la salud.
Eso está muy bien creído,
mas no es para averiguado.
(Si vieran lo que yo he visto   (*Aparte.*)
del festín, no blasonaran 945
estos dos necios maridos.)

SEXTO. Ahora bien; pues de los tres
ninguno ha de ser vencido
en su opinión, y cualquiera,
de satisfaciones rico, 950
puede ostentar experiencias,
caballos hay; el camino
no es largo; vamos a Roma
esta noche, y concluído
quede el pleito entre los tres. 955

COLATINO. Yo lo admito.

ACRONTE.	Yo lo admito.		
BRUTO.	Yo lo repruebo y defiendo.		
ACRONTE.	Yo lo apruebo y yo lo pido.		
SEXTO.	A hacer la experiencia vamos.		
BRUTO.	(Hoy de todos tres me río.)	(Aparte.)	960
COLATINO.	Hoy de dichoso me alabo.		
ACRONTE.	Hoy la vitoria consigo.		
	Sexto tiene de juzgallo.		
SEXTO.	La judicatura admito.		
BRUTO.	(Tres necios miro en los tres,	[Aparte.]	965
	pero el mayor, Colatino.)		
SEXTO.	(Gracias al cielo que soy		
	juez, y que no soy marido.)	(Vanse.)	

Salen LAVINIA, CASIMIRA *y* FABIO, *y pongan dos hachas en el teatro.*

LAVINIA.	Di que salgan a cantar,	
	y que la comedia empiece.	970
FABIO.	Aplauso y gusto merece	
	lo que han de representar.	
LAVINIA.	¿De qué es la comedia, Fabio?	
FABIO.	De Paris y las tres diosas,	
	a quien, igualmente hermosas,	975
	negar el premio fue agravio.	
LAVINIA.	¿Y que haya quién de repente	
	se atreva a representalla?	
CASIMIRA.	Sí; que hoy en Roma se halla	
	lo admirable y lo excelente	980
	del ingenio.	
FABIO.	¿Eso has dudado?	
	Pöeta conozco yo	
	que habla, desde que nació,	
	verso constante y limado.	
	Su vena es tan abundosa	985
	que en sus pleitos muchas veces	
	ha informado a los jüeces	
	mejor en verso que en prosa.	

	En lo próspero y adverso	
	usa de tales primores;	990
	si está enfermo, a los dotores	
	refiere su mal en verso.	
LAVINIA.	Deja eso, Fabio, y avisa	
	a la gente del festín.	
FABIO.	Yo soy de ese camarín	995
	la figura más precisa.	
CASIMIRA.	¿Cómo?	
FABIO.	Porque soy, señora,	
	de don Paris el bufón;	
	mas ya sale el batallón	
	a la milicia canora.	1000

Salen los MÚSICOS *y* FABIO *y* PARIS *con una manzana de oro.*

FABIO.	Paris, Paris, ¿dónde vas	
	con esa manzana de oro?	
	¿Haste hallado algún tesoro?	
PARIS.	Necio y enfadoso estás.	
	Júpiter sacro me ha dado	1005
	una comisión valiente.	
FABIO.	Luego, ¿quiere verte ausente?	
	Pensará que eres casado.	
PARIS.	Necio, su saber limitas.	
FABIO.	Es, por dicha, la primera	1010
	comisión que en esta era	
	se habrá dado con pepitas.	
PARIS.	Que se dé a la más hermosa,	
	dice, la manzana.	
FABIO.	Extraño	
	y afrentoso desengaño.	1015
	Comisión es peligrosa	
	o peliaguada, señor;	
	porque ¿quién se ha de atrever,	
	entre mujeres, a hacer	
	a una sola tal favor?	1020

PARIS.	Merézcalo su hermosura.	
FABIO.	Pues, ¿quién lo contrario piensa?	
	Cierto tienes por la ofensa	
	mojicón y arañadura.	
PARIS.	Venus, Juno y Palas son	1025
	deidades pero mujeres;	
	digo, señoras de coche.	
FABIO.	¿De coche, señor? Advierte	
	que ya anda en coche la jácara.	
PARIS.	Así Júpiter lo quiere.	1030
	Dícenme que Juno es zamba.	
FABIO.	Eso fuera inconveniente,	
	si en vez de los guardainfantes,	
	calzas la dueña vistiese.	
PARIS.	Dicen que Venus es tuerta.	1035
FABIO.	No es achaque suficiente.	
	Háblala del otro lado;	
	que el ojo derecho tiene.	
PARIS.	Palas, cargada de espaldas.	
FABIO.	Que pregunte no te pese,	1040
	¿si es gentilhombre corcova,	
	o corcova que ennanece?	
PARIS.	Tiene garbo y garavato,	
	común falta de mujeres,	
	con que engañan, tomajonas,	1045
	los galanes boquimuelles.	
PARIS.	Vamos a ver a las tres.	
FABIO.	Vamos, pero airosamente	
	a fuer de comedia grande,	
	que va partiendo entre dientes	1050
	los versos. Tú por un lado	
	con compás de pies te mete,	
	y yo por este me zampo,	
	diciéndonos remoquetes.	
PARIS.	Fabio, a/diós.	
FABIO.	Paris, a/diós.	1055
PARIS.	¿Cuándo te veré?	

FABIO.	Veréte
	en este puesto mañana
	si el autor tuviere gente.
PARIS.	¿Y si no?
FABIO.	Será señal
	que la comedia se muere 1060
	y dió fin cincomesina
	por no cumplir nueve meses.
PARIS.	Mal parto y peor suceso.
FABIO.	*Finis, laus Deo*, y **entréme**.

*(Éntranse; vuelven a cantar los músicos, y salen
dos máscaras a danzar, y haciendo algunas mudanzas,
sacan a las damas y bailan con ellas.)*

Salgan al paño SEXTO, ACRONTE, TITO, COLATINO y BRUTO.

SEXTO.	Gran festín hay en palacio. 1065
BRUTO.	Necio es quien prueba mujeres
	ni espadas, pues es forzoso
	que se rompan o se queden.
ACRONTE.	¿Lavinia sin mí se alegra?
	¿Ausente yo, se entretiene?

(Vanse los máscaras, y sale FABIO.)

CASIMIRA.	Prosígase la comedia. 1070
FABIO.	Ha cargado tanta gente
	que no nos dejan salir.

(Salgan todos del paño al tablado.)

ACRONTE.	Si falta quien represente,
	aquí hay personas bastantes. 1075
FABIO.	Pues, famosamente viene;
	que es disparate la farsa,
	y hay figuras de repente.
LAVINIA.	¡Señor!
ACRONTE.	Lavinia, ¿qué es esto?
	Prima, ved que a veros viene 1080
	mi hermano a las dos.

LAVINIA.   Su alteza
sea bien venido.

SEXTO.   No cese
el festín por mi venida;
estas señoras se sienten
y la comedia prosiga.   1085

LAVINIA.   Mejor será que se empiece,
pues vuestra alteza ha venido.

ACRONTE.   Sexto tiene de volverse
al ejército, y es fuerza
acompañarle.

CASIMIRA.   ¿Tan breve   1090
visita, señor?

SEXTO.   Aguarda
mi padre.

LAVINIA.   Pues todo cese.

SEXTO.   (Bruto dice bien, por fe;   *(Aparte.)*
se han de estimar las mujeres.)

BRUTO.   (Malogróse la comedia.   *(Aparte.)*   1095
Lo que siento es que se queden
sin desnudar las tres diosas;
que fuera un paso excelente.)

ACRONTE.   Vamos, Colatino.

COLATINO.   Vamos.   *(Vanse.)*

LAVINIA.   Pienso que airados se vuelven.   1100

FABIO.   (Lucrecia anduvo discreta.)   *(Aparte.)*

LAVINIA.   No más festines, ausente.

FABIO.   Manzana de la discordia
fue esta manzana dos veces.   *(Vanse.)*

Salen LUCRECIA *y* JULIA *con dos almohadillas.*

LUCRECIA.   Dame, Julia, esa labor;   1105
y ya que se alabe el sueño,
que de nuestra vida es dueño,
séalo en parte menor.

JULIA.   Ésta es tu labor.

LUCRECIA.   No quiero
                que diga el vulgo envidioso   1110
                que está en la guerra mi esposo,
                y yo en festines le espero.
JULIA.   Muchas señoras lo están—
                cuerdas, honestas y bellas.
LUCRECIA.   Julia, ellas se entienden, y ellas   1115
                también su razón darán;
                que no pueden condenarse
                generalmente estas cosas,
                mas hay unas más dichosas
                que otras en razón de holgarse.   1120
JULIA.   Líbrete el cielo de quien
                por inclinación murmura;
                que dél no hay honra segura,
                aunque ocasión no le den.
                Éste es mi tema, señora.   1125
LUCRECIA.   Canta, pues que hacerlo sabes,
                un tono de los más graves,
                y deja ese tema ahora.
JULIA.   Por darte gusto lo haré.
LUCRECIA.   Sea la letra ejemplar.   1130
JULIA.   Yo sé que la has de alabar.
LUCRECIA.   Tu buen gusto, Julia, sé.

([JULIA] *canta*.)

                ¡Oh cómo siente la ausencia
                pesada, larga y prolija,
                Penélope de su esposo,   1135
                con más belleza que dicha!

Salgan al paño SEXTO, ACRONTE, TITO, COLATINO, BRUTO *y* FABIO.

COLATINO.   A la llave que miráis
                no hay puerta que se resista.
                Entrad.
SEXTO.   Diverso ejercicio
                es éste.

| COLATINO. | ¡Notable dicha! | | 1140 |

SEXTO.   Aquí no hay comedia, Acronte;
             virtud, sí.

FABIO.   (La treta es linda,   [*Aparte.*]
             por Dios; que anda requiriendo
             pesos falsos la visita.)

([JULIA] *canta.*)

             Muchos señores la sirven,   1145
             príncipes la solicitan,
             mas Penélope constante
             victoriosa se retira.

SEXTO.   Miente Penélope, y mienten
             cuantas Porcias y Artemisas   1150
             celebra la antigüedad;
             que sola Lucrecia es digna
             de los elogios de todas,
             pues ella todos los cifra.

ACRONTE.   ¡Virtud notable!

SEXTO.   Venciste,   1155
             Colatino, en tu porfía.

ACRONTE.   Désele el lauro a Lucrecia.

SEXTO.   Ella sola se compita;
             pues en virtud y en belleza,
             sólo se iguala a sí misma.   1160

LUCRECIA.   ¿Quién habla, Julia, en mi cuarto?
                        (*Salen todos.*)

COLATINO.   ¿Quién, si no yo, ser podía?

LUCRECIA.   ¡Esposo amado!

COLATINO.   ¡Mi bien!

LUCRECIA.   ¿Cómo a estas horas caminas?

COLATINO.   Por sólo vivir, Lucrecia;   1165
             que ya sin ti no vivía.
             Dame los brazos.

LUCRECIA.   Y el alma.

COLATINO.   ¿Tanto a la labor te aplicas?

LUCRECIA.   Huyo del lecho en tu ausencia;
             que sin ti es bóveda fría.   1170
             Vuelve a abrazarme.

COLATINO.   Repara
que está aquí el príncipe; y mira
que Acronte también le asiste.

LUCRECIA.   Si falté a la cortesía,
tú, esposo, la causa tienes;   1175
que yo ignoré tal visita.
Señor.   *(Hace reverencia.)*

SEXTO.   Divina Lucrecia.
(¡Qué hermosa y qué divina!)   *(Aparte.)*

LUCRECIA.   El alma, señor, el alma,
como a un solo fin aspira,   1180
y éste es mi esposo, al mirallo
corrió al temor las cortinas;
fuése el afecto a los brazos,
y el corazón a la vista.
Cesó el obrar; que en llegando   1185
a su postrimera línea
todas las cosas, es cierto
que si no acaban, declinan.
Última línea es mi esposo;
no discurrí que podía   1190
haber cosa que impidiese
el logro de tanta dicha . . .

SEXTO.   No hay quien lo impida, Lucrecia.

LUCRECIA.   . . . y como que hay quien lo impida . . .
Vuestras altezas se sienten,   1195
o den lugar, o permitan . . .
(Turbada estoy. ¡Qué imprudencia   *(Aparte.)*
de mi esposo!)

ACRONTE.   No os aflija
nuestra presencia, señora.

LUCRECIA.   Estoy turbada y corrida   1200
de que en tan humilde casa
vuestras altezas asistan.
Pero ya que no es posible
que con las obras se mida
la grandeza que la honra   1205
y el valor que la ilumina,

     la voluntad de sus dueños
     vuestras altezas reciban;
     que ésta suplirá, aunque pobre,
     generosamente rica.   1210
SEXTO. Donde hay virtud, todo sobra.
     Al sol la virtud imita,
     que minerales engendra
     y ricos metales cría.
     (¡Qué discreción! ¡Ay, amor! *(Aparte.)* 1215
     Si desta gloria me privas,
     ¿para qué son las coronas
     ni los cetros?)
ACRONTE.   (Quien no envidia
     este valor, poco o nada
     las glorias del mundo estima.)   1220
LUCRECIA. ¿Tan presto te has de volver?
COLATINO. Sí, mi bien; que antes del día
     hemos de estar en el campo.
SEXTO. (No hay valor que se resista, *(Aparte.)*
     triunfo   1225
     Quedó sin fuerzas la vida;
     postrado quedó el discurso;
     la razón quedó oprimida.
     Muerto estoy.)
LUCRECIA.   ¿Si vuestra alteza
     con el cansancio y fatiga   1230
     del camino, o con la noche
     destemplada, obscura y fria,
     algún accidente tiene? . . .
SEXTO. Un poco de agua querría;
     perdonad, bella Lucrecia.   1235
LUCRECIA. Julia, unos dulces aprisa;
     mas ¿qué digo? Perdonad,
     señor, esta grosería.
     Yo iré a serviros.
SEXTO.   Mayor
     será en quien os lo permita.   1240
     No habéis de faltar de aquí.

LUCRECIA.   Cuando vuestra alteza asista
              en su casa, mandará;
              que ahora que está en la mía,
              yo he de hacerlo, pues mandando,   1245
              no habrá quien mejor os sirva.
SEXTO.   Yo obedezco. No hay imperio
              que una hermosura no rinda.

              (Llega LUCRECIA al paño, y recibe de JULIA
              un plato con dulces y un vidrio de agua y una toalla.)

JULIA.   Aquí están el agua y los dulces.
LUCRECIA.   (Muestra, Julia; que a esto obliga   [A JULIA.]   1250
              un necio esposo y un huésped
              de superior jerarquía.)
              Aquí vuestra alteza tiene
              el agua.   (De rodillas.)
SEXTO.   (Por más que finja,   [Aparte.]
              no puedo encubrir mi pena.   1255
              De dulce no necesita
              quien vuestros ojos ha visto,
              ¡oh hermosura peregrina!)
              El dulce lo pueden volver.
FABIO.   Habiendo quien le reciba,   1260
              será trabajo excusado.
LUCRECIA.   Tómale, tú.
FABIO.   ¿Eso me diga?
              Que yo me como las manos
              tras de cualquier golosina.   (Tómalo y vase.)
SEXTO.   Lucrecia, no estéis así.   1265
LUCRECIA.   Yo estoy muy bien de rodillas
              cuando os sirvo.
SEXTO.   (Por tenerla   (Aparte.)
              más cerca, amor no replica.)
                              (Beben, y quítanse los sombreros.)
BRUTO.   (O yo estoy loco del todo   [Aparte.]
              o Sexto Tarquino mira   1270
              la honestidad de Lucrecia
              con los ojos de su envidia.)

([SEXTO] *acaba de beber, y por poner e*[*l*] *vidro
en la salvilla, lo pone fuera, y se rompe.*)

SEXTO.	¡Qué descuido! ¡Qué torpeza!		
LUCRECIA.	Ésta es, señor, la salvilla.		
SEXTO.	(¡Oh amor! Divertido estuve;	[*Aparte.*]	1275
	ciego estuve. Mas quien mira		
	al sol, ¿qué mucho que quede		
	o deslumbrado o sin vista?)		
COLATINO.	(¡Qué turbación tan notable!	[*Aparte.*]	
	Si como vidro peligra		1280
	el honor, ya tengo ejemplo		
	que me previene y me avisa.)		
SEXTO.	Yo he venido a haceros daño.		
LUCRECIA.	Merced, señor, conocida		
	nos hacéis.		
SEXTO.	Un vidro roto		1285
	y vuestro es cosa de estima;		
	no equivale, no equivale,		
	Lucrecia, mi monarquía.		
	Mas por tener menos deuda,		
	que siempre será infinita,		1290
	recebid aquesta joya;	(*Dale una cadena.*)	
	y tú, Julia, esta sortija.	(*Dale una sortija.*)	
LUCRECIA.	De vuestra mano, señor,		
	ya queda mi casa rica.		
COLATINO.	(Prisiones de oro, ¡ay de mí!)	(*Aparte.*)	1295
LUCRECIA.	Vuestra grandeza permita		
	que a cuenta de tantos años		
	gastados en la milicia,		
	de tanta vida arriesgada,		
	de tanta sangre vertida,		1300
	como a mi esposo le debe,		
	sea esta joya primicias		
	de mayores premios suyos.		
	(*Dale la cadena a* COLATINO.)		
SEXTO.	Quien eso dice, limita		
	mi ánimo, duda pone		1305

	en mi valor, poco fía		
	de mí, pues me saca prendas		
	con que el crédito me quita.		
COLATINO.	(¡Oh nunca pluguiera al cielo		
	vieras la casa que pisas!)	*(Aparte.)*	1310
	Señor, mira que ya es tarde.		
SEXTO.	Bien está; cuerdo me avisas.		
	Vuestra deuda es la mayor.	[*A* LUCRECIA.]	
LUCRECIA.	No es deuda, señor, la mía.		
SEXTO.	Es cautiverio del alma.		1315
LUCRECIA.	¿Quién la prende o la cautiva?		
SEXTO.	Una hermosura invencible.		
LUCRECIA.	Mal vuestra alteza lo mira.		
COLATINO.	¿No ves, señor, que amanece?		
SEXTO.	Ya miro que llega el día.		1320
LUCRECIA.	Vuestra alteza paga mal.		
SEXTO.	¿Debo mucho?		
COLATINO.	(En no entendida	*(Aparte.)*	
	voz hablando están. ¡Ay, cielos!)		
LUCRECIA.	(Mi esposo teme y suspira.)	*(Aparte.)*	
SEXTO.	(El alma toda se abrasa.)	*(Aparte.)*	1325
LUCRECIA.	(Males el alma adivina.)	*(Aparte.)*	
COLATINO.	(Ofensas el honor teme.)	*(Aparte.)*	
LUCRECIA.	(Temores la fe acredita.)	*(Aparte.)*	
SEXTO.	Vamos, Colatino; vamos,		
	Acronte.		
COLATINO.	¿Dónde camina		1330
	vuestra alteza?		
SEXTO.	Yo a los gabios;		
	vosotros a la conquista		
	de Ardea donde mi padre		
	os espera.		
COLATINO.	Yo querría,		
	ya que el quedar en mi casa		1335
	la guerra no me permita,		
	ir siempre con vuestra alteza.		
SEXTO.	(Esto es cuidado o malicia.)	*(Aparte.)*	
	No puede ser, Colatino.		

COLATINO.	(¿Por qué de sí me desvía?	[*Aparte.*]	1340
	Dado me ha qué sospechar		
	y aun qué temer.)		
SEXTO.	(Quien convida	(*Aparte.*)	
	a ver su esposa, prevenga		
	sufrimiento a las desdichas.)		
	El cielo, Lucrecia, os guarde.		1345
LUCRECIA.	Vuestra alteza, señor, viva		
	infinitos años.		
SEXTO.	(¿Cómo,	(*Aparte.*)	
	si ya la vida no es vida?)		
LUCRECIA.	(¡Qué visita tan sin tiempo!)	[*Aparte.*]	
SEXTO.	(¡Qué venturosa visita!)	[*Aparte.*]	1350
LUCRECIA.	(¡Qué necedad de mi esposo!)	[*Aparte.*]	
SEXTO.	(¡Qué ocasión para mis dichas!)	[*Aparte.*]	
LUCRECIA.	(Yo lloraré estos favores.)	[*Aparte.*]	
SEXTO.	(Veré esta deidad rendida.)	[*Aparte.*]	

JORNADA TERCERA

Salen SEXTO TARQUINO, CLOANTO, PERICLES *y* FABIO.

SEXTO.	No me preguntéis por mí;	1355
	que aun no sé yo de mí mismo.	
CLOANTO.	(¡Qué soberbia!) [*Aparte.*]	
SEXTO.	En un abismo	
	de hermosura me perdí.	
	¡Ay, vida, en peligro os veis!	
PERICLES.	Dinos tu mal, si te agrada.	1360
SEXTO.	No quiero deciros nada.	
	Dejadme; no me canséis.	
CLOANTO.	Después que te hubimos dado	
	la obediencia y que llegaste	
	—cuando menos lo esperaste—	1365
	al solio del principado,	
	desde la hora y el día	
	que hicimos de ti elección,	
	mudaste de condición.	
	Ya no es Sexto el que solía.	1370
SEXTO.	Yo, gabios, nunca os pedí	
	lo que vosotros me distes;	
	vuestra cabeza me hicistes;	
	nada hay monstruoso en mí.	
	La república mejor,	1375
	para que ordenada esté,	
	es un cuerpo en quien se ve	
	la cabeza superior.	
	Y a desórdenes iguales	

se sigue la perdición;   1380
no hiciérades elección,
y fuérades siempre iguales.
Pero una vez elegido,
mi lugar no he de perder;
soy cabeza, y he de ser   1385
temido y obedecido.
Y si por diversos modos
importare a mi grandeza,
para guardar la cabeza,
cortaré los miembros todos.   1390

FABIO.   (No es nada. Ellos llevarán,   [*Aparte*.]
si la cabeza se enfada,
lo que llaman *tarquinada*,
porque se cumpla el refrán.)

PERICLES.   Sexto dice bien, y en esto   1395
tiene, Cloanto, razón.
Si fue tuya su elección,
¿por qué te quejas de Sexto?
¿Qué escándalo o novedad
causa a tus quejas ha dado?   1400

CLOANTO.   Sólo el habernos tratado
con imperio y gravedad.

FABIO.   (¿Cómo, cómo? Bueno es eso   [*Aparte*.]
para quien el cuento sabe.
Aún no ha empezado a ser grave;   1405
que desde hoy empieza el peso.)

PERICLES.   Pues, en el puesto que ves,
¿no quieres que grave sea?
¡Ay del pueblo en quien se vea
la cabeza entre los pies!   1410

CLOANTO.   También debe hacer reparo
en que del marcial estruendo
vino de su padre huyendo,
y halló en nosotros amparo.

FABIO.   (Cuando el que huye, acomete,   [*Aparte*.]   1415
músico debe de ser;
que hay mucho que conocer

	en la fuga de un falsete.)	
CLOANTO.	Este injusto proceder	
	no es para los que le vimos	1420
	huyendo; que si le hicimos,	
	le podemos deshacer.	
SEXTO.	(Ya es el sufrimiento en mí	[*Aparte.*]
	culpable en tanto despejo;	
	de Periandro el consejo	1425
	es lícito usar aquí.	
	Esta planta se adelanta	
	a igualar la majestad;	
	si es odiosa la igualdad,	
	cortar conviene esta planta.)	1430
	Príncipe me hizo el Senado,	
	mas no sin dar causa yo	
	podrá deshacerme, no,	
	sin ser de traición notado;	
	que el pueblo que reyes hace,	1435
	si deshacerlos quisiera,	
	no pudiera; y traición fuera	
	que de sediciones nace.	
	Y aquel sangriento rigor,	
	que en mi padre vi algún día,	1440
	será en la defensa mía	
	cuchillo para el traidor.	
	Y para que eches de ver	
	que deshacerme no puedes,	
	hoy haré a muchos, mercedes,	1445
	y a ti te he de deshacer.	
	¡Hola! *(Salen dos* SOLDADOS.)	
SOLDADO 1º.	¿Señor?	
SEXTO.	A Cloanto	
	llevad a una torre, preso.	
CLOANTO.	¿Conmigo tan grande exceso?	
SEXTO.	¡Ea, llevadle!	
CLOANTO.	No me espanto	1450
	de que me trates así,	
	que eres hijo de Tarquino.	

SEXTO.   Serlo desde hoy determino,
               porque te acuerdes de mí;
               que para darte el castigo   1455
               que a tu atrevimiento cuadre,
               mi padre será mi padre,
               y tú serás mi enemigo.

CLOANTO.   ¿Padre llamas al que fue
               tu enemigo declarado;   1460
               y al que te dio el principado
               no guardas lealtad ni fe?

SEXTO.   No, que el amigo fingido
               que los beneficios cuenta,
               merece ser por la afrenta   1465
               odioso y aborrecido.
               Con/que es menos peligroso
               en este trato villano,
               el padre más inhumano
               que el amigo más piadoso.   1470
               Llevalde; y porque jamás   [*A los* SOLDADOS.]
               al que es cabeza arguya,
               corte un verdugo la suya.
               Sea ejemplo a los demás.

CLOANTO.   ¿Esto sufrí[s], gabios? ¿Esto   1475
               permite vuestra nobleza?

SEXTO.   Hoy verás si tu cabeza
               deshace a Tarquino Sexto.   (*Llévanle.*)

PERICLES.   Mira, señor, que alterada
               ya la nobleza imagino.   1480

SEXTO.   Para eso tiene Tarquino
               un campo de gente armada.

PERICLES.   ¿Tu padre?

SEXTO.   Pues, ahora sabes
               que el enojo y la pasión
               entre padre y hijo son   1485
               más leves cuando más graves.
               Y cuando con más rigor
               el padre al hijo maltrata,

si otro de ofenderle trata,
no lo consiente su amor. 1490

FABIO.   (Búrlense con ellos, gabios.   [*Aparte.*]
¿No digo yo que ahora empieza?
Es cabeza, y la cabeza
no sufre a los pies agravios.)

PERICLES.   (Vive el cielo, que imagino   [*Aparte.*] 1495
que fue engañosa ca[u]tela
venir de su padre huyendo,
y entrarse por nuestras puertas
para alcanzar—¡qué traición!—
vitoria menos sangrienta. 1500
Pero ya lo consiguió;
y conseguida la empresa,
lo que fue traición es gloria,
lo que fue engaño es grandeza;
y trocando los sucesos 1505
la ignominia en excelencia,
pasa el nombre de traidor
a quien su obediencia niega.
Del pueblo todo es amado,
temido de la nobleza; 1510
los magistrados le alaban,
los soldados le respetan,
su padre le favorece,
Roma a su padre venera,
y en tal caso es cuerdo aquél 1515
que dice "viva quien venza.")
Señor, a tu lado estoy.
Mi honor, mi vida y mi hacienda,
todo es tuyo; que no hay cosa
que del príncipe no sea. 1520
Tú lo eres; dispón de todo,
libre manda, sabio ordena;
que el mandar y obedecer
en ti es gracia y en mí es deuda.

SEXTO.	Mucho te estimo, y es justo.		1525
	Mi amigo quiero que seas,		
	que mis negocios despaches		
	y que mi privanza tengas.		
	Los oficios de Cloanto,		
	pues con la vida los deja,		1530
	quiero que sirvas; que así		
	quien sabe castigar, premia.		
PERICLES.	Tuyo soy.		
SEXTO.	De tu lealtad		
	tengo bastante experiencia.		
FABIO.	(Esto es ganar un amigo,	[Aparte.]	1535
	ya que otro amigo se pierda.)		
PERICLES.	Seguro vive que siempre		
	a tu servicio me tengas.		
SEXTO.	Un secreto he de fiarte.		
PERICLES.	Seré una estatua de piedra.		1540
SEXTO.	Mucho has de deberme.		
PERICLES.	Mucho		
	quiere mi amor que te deba.		
SEXTO.	Pues, oye aparte; ¡ay de mí!		
PERICLES.	Descansa; alivia esa pena.		
SEXTO.	Amigo, yo estoy sin alma.		1545
	Los tormentos y las penas		
	de todos los condenados		
	son una vana apariencia,		
	son una sombra fingida,		
	son una fácil quimera;		1550
	y al fin, no suponen todos		
	con los que mi pecho encierra.		
PERICLES.	¿Qué temes, señor? ¿Presumes		
	de conjuraciones nuevas		
	algún motín? ¿Date acaso		1555
	cuidado la inobediencia		
	de Cloanto; o de su muerte		
	nueva sedición sospechas?		
SEXTO.	No, amigo; pena mayor		
	el espíritu me inquieta.		1560

Vi un ángel, vi una hermosura,
vi un prodigio, vi un cometa,
vi un rayo, vi una deidad;
y cegóme su belleza.
¿No has visto, mirando al sol   1565
incautos ojos, que quedan
—vencidos de mayor lumbre,
heridos de mayor fuerza—
con tan sobrado esplendor,
más que a la luz, en tinieblas?   1570
Pues, así yo, inadvertido,
—mas ¿quién a decirlo acierta?—
vi un sol que me dejó a escuras;
vi a Lucrecia, vi a Lucrecia.

PERICLES.   ¿A Lucrecia? Más admiro,   1575
señor, el llegar a verla
que el amor que significas,
que la pasión que confiesas;
porque es tanto su recato
que Roma la considera   1580
perla encerrada en la concha,
lumbre guardada en sí mesma.

SEXTO.   Esa honestidad divina
y ese recato me llevan
el alma; que la hermosura   1585
con la privación se aumenta.
Yo estoy perdido; yo tengo
determinación resuelta
de faltar a ser quien soy.

PERICLES.   Pues, señor, dispón y ordena,   1590
ya que sabes que he de estar
sin discurso a tu obediencia,
a tu voluntad sin gusto,
y a tu gusto sin respuesta.
Mas, ¿cómo has de persuadilla?   1595

SEXTO.   Con halagos, con ternezas,
con dádivas, con regalos,
con mercedes, con ofertas,

                    con el laurel de mi frente,
                    con el alma; y cuando sea   1600
                    sorda a tanto beneficio,
                    ingrata a tantas finezas,
                    con amenazas, con iras,
                    con rigores y violencias;
                    que es rayo amor, y más fuerte   1605
                    en la mayor resistencia.
PERICLES.   Yo he dicho que es para mí
                    tu voluntad ley expresa.
SEXTO.   ¿Irás conmigo . . .
PERICLES.   ¿Eso dudas?
SEXTO.   a su casa?
PERICLES.   Cuando fuera   1610
                    en la ardiente Libia, estaba
                    la duda de agravios llena.
SEXTO.   Pues, haz prevenir un coche,
                    y sin que nadie lo entienda.
PERICLES.   Mira que importa primero   1615
                    que en Gabio seguras tengas
                    las espaldas.
SEXTO.   A mi padre
                    escribiré que se venga
                    Colatino con el campo,
                    dejando el sitio de Ardea,   1620
                    a asegurar mi persona
                    del riesgo que tener pueda
                    por la prisión de Cloanto;
                    y alojado media legua
                    de Gabio, mi orden espere,   1625
                    sin que a nada se resuelva.
                    Conque vengo a hacer dos cosas:
                    corregir la furia ciega
                    de los gabios alterados
                    si en mi daño se rebelan,   1630
                    y hallarme seguro en Roma
                    de Colatino.

PERICLES.   Tú piensas
                     bizarramente si así
                     lo ejecutas.
SEXTO.   ¿Cuándo yerra
                     en sus discursos amor?   1635
                     Vamos, amigo; que en esta
                     acción consiste mi vida.   (*Vanse.*)

                     Salen el REY, AC[R]ONTE, TITO, COLATINO *y* BRUTO.

REY.   Mucho Ardea se resiste,
                     y mucho importa que Ardea
                     reconozca a Roma, ya   1640
                     que Sexto en los gabios reina.
COLATINO.   Mostró en el último asalto
                     valor que excede a sus fuerzas.
REY.   Mucho puede, mucho vale
                     quien en su casa pelea.   1645
COLATINO.   (Y quien en su casa mete   [*Aparte.*]
                     enemigos, mucho arriesga,
                     mucho pierde de quietud,
                     mucho de honor atropella.
                     Después que a Sexto llevé   1650
                     a la mía, no me deja
                     una celosa inquietud
                     y una enemiga sospecha.
                     Porque si no se engañaron
                     mis presunciones—¡ah, necia   1655
                     porfía!—, en sus ojos vi
                     una atención desenvuelta,
                     una cortesía libre
                     y una mesura traviesa;
                     que a la ocasión que le di,   1660
                     casi trabó la melena.
                     Y a no asegurarme, a no
                     considerar en Lucrecia
                     tanta discreción humilde,

tanta hermosura compuesta,   1665
tanto recato advertido,
tanta inculpable obediencia,
hubiera dejado el campo
sólo por volver a verla.
¡Mal haya, amén, quien alaba   1670
de su casa hermosas prendas!
¡Ah, Bruto, qué bien dijiste!
¿Quién me asegura que vuelva
sin mí, Tarquino a mi casa?
¿Quién me asegura que sea,   1675
—pues yo le enseñé el camino,
pues yo le franqueé las puertas—,
si no ladrón de mi honor,
tirano que lo pretenda?
Cómplice soy en mi agravio.)   1680

BRUTO.   (Con qué notable tristeza   [Aparte.]
Colatino está estos días.
¿Si habrá caído en la cuenta
del disparate que hizo?
No tendrá a lo menos queja   1685
de que en la boca de un bruto
no oyó de su culpa enmienda.)

ACRONTE.   (De Lavinia estoy quejoso.   [Aparte.]
A Roma volver quisiera
por sólo poder decirle   1690
la honestidad de Lucrecia;
que oyendo alabar virtudes,
cualquiera vicio se afrenta.
A su casa he de llevarla
porque en su virtud aprenda   1695
estimaciones de honor,
respetos de la obediencia.
Y así, pues resuelvo ahora
lo que se ha de hacer, prevenga
caballos mi indignación;   1700
iré aunque mi falta sientan.)

Sale FABIO.

FABIO.	Después de besar tu pie,
	en tu mano pongo aquesta
	carta que Sexto te envía. *(Dale una carta.)*
REY.	Muestra, y bien venido seas. 1705
	¿Cómo queda Sexto?
FABIO.	Bueno,
	aunque con cierta sospecha
	de injustas conjuraciones
	y libres inobediencias.
REY.	¿Y cuándo de allá saliste? 1710
FABIO.	Anoche.
REY.	¿Con tanta priesa?
FABIO.	Debo a un caballo español,
	que en lugar de correr, vuela,
	este beneficio.
REY.	¿Y es
	gran cosa?
FABIO.	Extremada bestia. 1715
	Aguardarás la pintura;
	pues, ni la aguardes ni creas
	que yo me detenga en eso;
	que es fullería muy vieja
	pinturita a cada paso, 1720
	caballo en cada comedia.
	Es como el ciprés de Horacio,
	pintado, venga o no venga.
REY.	Quiero leer. Ansí dice: . . .
COLATINO.	(¡El cielo mi bien concierta!) [*Aparte.*] 1725
REY. [*Lee.*]	"Mucho importará, señor,
	dejar el sitio de Ardea
	por ahora, y que al valor
	de Colatino se deba
	el asegurarme en Gabio. 1730
	Luego con el campo venga,
	y alojado y prevenido

	a la vista de sus puertas,	
	sea a la conspiración	
	de los Gabios freno y rienda.—	1735
	Sexto Tarquino, tu hijo."—	
COLATINO.	(Injusta fue mi sospecha; [*Aparte.*]	
	inciertos son mis temores.	
	Sexto de honrarme se precia.)	
REY.	Esto importa, Colatino.	1740
	Con la mayor diligencia	
	posible, marcha a los gabios;	
	y pues la industria y cautela	
	llegó a introducir a Sexto,	
	válgale ahora la fuerza.	1745
COLATINO.	Iré con gusto a servirte.	
	(¡Oh cuánto el ánimo quieta (*Aparte.*)	
	el ver ocupado a Sexto!	
	Máteme un dardo, una flecha,	
	y no una pasión celosa.)	1750
REY.	Vuelve a Sexto, y di que tenga [*A* FABIO.]	
	memoria de mis consejos.	
FABIO.	Lindamente se aprovecha	
	de aquello de cercenar	
	en el jardín toda hierba	1755
	que se descuelle y levante.	
REY.	¡Ea! El campo se prevenga;	
	las legiones marchen luego;	
	que yo a Roma doy la vuelta,	
	pues Colatino me excusa.	1760
COLATINO.	Señor, yo con tu licencia	
	iré a servirte si gustas.	
REY.	Sea ansí.	
COLATINO.	(Cuando me vea [*Aparte.*]	
	señor del campo yo solo,	
	también mi casa me espera,	1765
	y la veré de secreto.)	
REY.	¡Marcha a Roma! [*Al ejército.*]	
COLATINO.	¡Al gabio llega! (*Vanse.*)	

Salen ESPURIO *y* LUCRECIA.

ESPURIO.	¿Estás ya menos airada?	
LUCRECIA.	Con otro enojo mayor	
	cesó el primero, señor.	1770
ESPURIO.	Pues ¿quién te tiene enojada?	
LUCRECIA.	Una visita excusada,	
	una necedad curiosa,	
	una merced peligrosa,	
	y un favor no prevenido,	1775
	un imprudente marido,	
	y una mujer no dichosa.	
ESPURIO.	¿Díceslo por Sexto?	
LUCRECIA.	Sí.	
ESPURIO.	Pues no dices bien; y entiende	
	que el príncipe nunca ofende.	1780
LUCRECIA.	¡Plega al cielo que sea ansí!	
	Pero siempre, señor, vi	
	que es ley que en el mundo pasa,	
	que a la casa que se abrasa,	
	le entra por la puerta el fuego,	1785
	y que es imprudente y ciego	
	quien mete el fuego en su casa.	
	Fuego los príncipes son,	
	que en las casas inferiores	
	abrasan con los favores	1790
	la más segura opinión.	
	Desde su casa es razón	
	que honre el príncipe al vasallo;	
	mas llegando a visitallo	
	—que raras veces sucede—,	1795
	todo lo que en esto excede	
	le basta para afrentallo.	
ESPURIO.	Eso es querer limitar	
	el valor que en ti imagino.	
	En casa de Colatino	1800
	bien puede un príncipe entrar.	

LUCRECIA.   Ya no se puede excusar;
              ya entró, y ya miro perdido
              cuanto recato he tenido.
              Y así es preciso temer   1805
              lo que puede suceder,
              más que lo que ha sucedido.   [*Vase* ESPURIO.]

              Entra JULIA *con una luz.*

              Julia, cierra aquellas puertas,
              y a tu labor te acomoda.
JULIA.   ¿En peso la noche toda   1810
              quieres que estemos despiertas?
LUCRECIA.   Hágolo porque diviertas
              la soledad.
JULIA.   ¿Divertida
              me quieres ver, o afligida?
              Que si esto intenta tu amor,   1815
              nunca yo lo estoy mejor
              que el tiempo que estoy dormida.
LUCRECIA.   Dichosa tú que durmiendo
              te olvidas de tus cuidados.
JULIA.   Los que somos desgraciados   1820
              sólo vivimos durmiendo.
              Cuando duermo, a nadie ofendo.
              Tal vez sueño que me caso,
              que a mejor estado paso,
              de más nombre y más valor;   1825
              y así, la vida mejor   ·
              es la que soñando paso.
LUCRECIA.   ¿Y alguna vez no has soñado
              que en un peligro te ves,
              y huyéndolo, das después   1830
              en otro de más cuidado?
JULIA.   Sí, mas por bien empleado
              ese sobresalto doy
              aun cuando más muerta voy,
              ajena de remediallo,   1835

por el gusto en que me hallo
despúes que dispierta estoy.

[SEXTO.]   Entra conmigo.   (*Dentro.*)

LUCRECIA.   ¿Qué es esto?

Salen SEXTO, PERICLES *y* FABIO.

SEXTO.   Busca piadosa posada
         —donde aun al sol le es negada—,   1840
         señora, Tarquino Sexto.

LUCRECIA.   ¡Señor!

SEXTO.   Cogióme la noche
         tan oscura que perdido
         llegué aquí. Ventura ha sido;
         que ya me faltaba el coche,   1845
         porque del largo camino
         llegaba ya maltratado.

FABIO.   Es el cochero un menguado,
         mas no es la mengua en el vino;
         que es cochero verdadero,   1850
         tan del uso—cosa rara—
         que creí nos despeñara.
         ¡Hi de puta, buen cochero!

SEXTO.   Vuestro huésped ser quisiera
         sola esta noche.   1855

LUCRECIA.   Señor,
         (esto temía mi honor)   [*Aparte.*]
         ¿qué dicha mayor se espera
         en la casa donde está
         por blasón tanta obediencia?

SEXTO.   (¡Qué honestidad! ¡Qué prudencia!)   [*Aparte.*] 1860

LUCRECIA.   Pésame que no tendrá
         vuestra alteza la posada
         que Colatino quisiera.

SEXTO.   Ninguna en el mundo hubiera
         tanto a mi gusto ajustada.   1865

LUCRECIA.   A lo menos, tan ajena
         de faltar a su valor,

	sólo sentirá, señor,
	su cortedad, larga pena.
	Mas aunque la ausencia siente
	del dueño, vos la honraréis;
	que sois príncipe, y debéis
	honrar a su dueño ausente.
SEXTO.	Mucho a Colatino debo,
	siempre lo confieso ansí;
	pero más debo—¡ay de mi!—
	al sol cuyos rayos bebo.
LUCRECIA.	Descanse, pues, vuestra alteza.
SEXTO.	Ya, Lucrecia, he descansado
	con sólo haberos mirado.
LUCRECIA.	Señor, esa gentileza
	guárdela para otro dueño;
	que se emplea mal en mí.
SEXTO.	La g[r]andeza en que nací
	—y el mundo—es valor pequeño
	si compararse pretende
	con una honesta hermosura.
LUCRECIA.	Quéjese de su ventura
	quien un imposible emprende,
	pues le ha de causar desmayo
	si mide arenas al mar,
	o al sol pretende contar
	tantos rayos, rayo a rayo.

SEXTO.	(Parece que me ha entendido.)	(*Aparte.*)
LUCRECIA.	(¡Cielos! Mi temor fue cierto.)	[*Aparte.*]
FABIO.	El campo se ha descubierto	[*A* PERICLES.]
	donde el que venza es vencido.
PERICLES.	Fabio, alerta hemos de estar,
	por lo [que] aquí sucedi[e]re.
FABIO.	Yo, venga lo que viniere,
	no tengo de peligrar.
PERICLES.	¿Cómo?
FABIO.	No faltaba más
	sino que aquí peligrara
	un hombre con esta cara.

Line numbers in right margin: 1870, 1875, 1880, 1885, 1890, 1895, 1900

PERICLES.	¡Oh qué necio, Fabio, estás!	1905
FABIO.	Pues, ¿hay más peligro aquí?	
	¿Qué espadas ni qué broqueles	
	nos amenazan crüeles?	
	Mi cara vuelve por mí.	
SEXTO.	Vi una divina belleza,	1910
	y una fuerte inclinación	
	pudo más que la razón.	
LUCRECIA.	Pues vénzala vuestra alteza.	
SEXTO.	Fuerza es de amor impaciente.	
LUCRECIA.	Para esa fuerza hay valor.	1915
SEXTO.	Es muy poderoso, amor.	
LUCRECIA.	Y la razón muy valiente.	
SEXTO.	Que no hay razón en quien ama.	
LUCRECIA.	Hayla en quien amar pretende.	
SEXTO.	¿A quién, amando, se ofende?	1920
LUCRECIA.	Al crédito y a la fama.	
SEXTO.	¡Qué honor!	
LUCRECIA.	¡Qué vana porfía!	
SEXTO.	Al poder no hay resistencia.	
LUCRECIA.	¿Donde hay amor, hay violencia?	
SEXTO.	Hay premio.	
LUCRECIA.	No es bizarría.	1925
SEXTO.	Es gran hazaña.	
LUCRECIA.	Es violenta.	
SEXTO.	Mayor por eso.	
LUCRECIA.	¡Qué horror!	
SEXTO.	Será victoria de amor.	
LUCRECIA.	Será de un príncipe, afrenta.	
SEXTO.	Ni yo por tanto lo digo,	1930
	ni hablo con vuestra belleza.	
LUCRECIA.	Claro está que vuestra alteza,	
	señor, no habla conmigo.	
SEXTO.	Yo hablo con mi pasión.	
LUCRECIA.	Yo, señor, así lo entiendo.	1935
SEXTO.	Yo mis afectos defiendo.	
LUCRECIA.	Yo defiendo la razón.	
SEXTO.	Contra mi vida es crueldad.	

LUCRECIA.	La virtud es acto amable.
SEXTO.	Todo rigor es culpable. 1940
LUCRECIA.	Toda defensa es piedad.
SEXTO.	Pues ¿qué he de hacer si me pierdo?
LUCRECIA.	Aprender a ser señor.
SEXTO.	¿En qué escuela?
LUCRECIA.	En la de honor.
SEXTO.	¿Cómo podré?
LUCRECIA.	Siendo cuerdo. 1945
SEXTO.	¿Cuerdo amando?
LUCRECIA.	Cuerdo amando.
SEXTO.	No es posible.
LUCRECIA.	¿Quién lo niega?
SEXTO.	Quien muere en su pasión ciega.
LUCRECIA.	Pues sepa morir callando.
FABIO.	(Por esto dijo, imagino, [*Aparte.*] 1950
	el que de decir se precia:
	"Dándose estaba Lucrecia
	de las astas con Tarquino . . .")
SEXTO.	Amor me anima; que en él,
	siempre una porfía honrada 1955
	libertad gozó, librada
	en desprecios de un clavel.
LUCRECIA.	Quien de violencias se aplace,
	más se ofende si pretende
	cosas que al amor no entiende, 1960
	con ser amor quien las hace.
	Recójase vuestra alteza;
	que es hora de descansar.
SEXTO.	Iré a sentir y a llorar
	desprecios de una belleza. 1965
	Obedecer es forzoso.
LUCRECIA.	Eso a mí, señor, me toca.
SEXTO.	Las palabras de su boca
	son yugo de imperio hermoso.
LUCRECIA.	Ésta es la sala, señor. 1970

SEXTO.   Ya os darán las ansias mías,
              como al sol, los buenos días,
              ¡oh mayor gloria de amor!
PERICLES.   Vamos, Fabio.
FABIO.   En lo constante
              se conoce y se escudriña   1975
              qué poco siente la niña
              los desvelos de su amante.   (*Vanse.*)

          Sale COLATINO *como de noche.*

COLATINO.   Todo es horrores, todo pardas sombras,
              todo temores vanos y recelos,
              todo brasas y hielos   1980
              cuando mi ofensa, ¡oh vil temor!, me nombras.
              ¿Si la simple paloma
              que puerto tarde entre mis brazos toma,
              del cazador herida,
              agüero fue que malogró mi vida?   1985
              ¿Si ha de ser Lucrecia
              esta paloma que el vivir desprecia?
              ¡Plega amor que no sea,
              y entre mis brazos palpitar se vea!
              ¡Oh qué viles temores!   1990
              Yo voy pisando sombras, y entre horrores,
              perdiéndose el sentido
              en las viles sospechas de marido.   (*Vase.*)

          Sale SEXTO TARQUINO, PERICLES *y* FABIO.

PERICLES.   ¿Dónde vas, señor?
SEXTO.   No sé.
              Vete, Fabio; el coche apresta.   1995
PERICLES.   ¿"No sé" me das por respuesta?
SEXTO.   Ignoro el bien que gocé,
              amigo; mi suerte ignoro.
              Toqué al sol, ofendí al cielo,

y entre temor y recelo   2000
huyo lo mismo que adoro.
Entré en su cuarto—¡ay de mí!—
cuando el cielo de sus ojos
rendía al suelo en despojos
nieve y clavel carmesí.   2005
Llegué turbado y vencido,
y fue, entre tanto arrebol,
la primera vez que al sol
vieron los hombres dormido.
Quise en amorosos lazos,   2010
ciego, asegurar mi empeño,
y el tiempo que duró el sueño
tuve el cielo entre mis brazos.
Despertó turbada; y cuando
yo, más turbado y más ciego,   2015
con halagos la sosiego
y con ternezas la ablando,
resuelta, determinada,
descompuesta y sin aliento,
quejas le propone al viento,   2020
voces a mi fe jurada,
lástimas a mi piedad,
respetos a mi grandeza,
afrentas a su belleza,
y honras a su honestidad.   2025
Mas yo, a tantos embarazos
deshaciendo el nudo estrecho,
puse un puñal en su pecho,
y ella la vida en mis brazos.
Desmayóse, y desmayada,   2030
—no sé, no sé qué te diga;
tu entendimiento prosiga—
sin culpa fue desgraciada,
y yo más, pues vine a ser
quien agravió—¡infame cosa!—   2035
a la mujer más hermosa,
a la más casta mujer.

> Yo me voy adonde pueda
> pedir al cielo que un rayo,
> mientras vuelve del desmayo,   2040
> venganza a su honor conceda.   [*Vase.*]

Salen por una puerta ACRONTE, TITO, LAVINIA *y* CASIMIRA,
y por la otra COLATINO, ESPURIO *y* BRUTO.

ACRONTE.   A que veáis los festines
           que entretienen a Lucrecia
           os traemos.

TITO.   No es tan necia
           que desprecia honestos fines.   2045

CASIMIRA.   ¿Aquí hay festín?

ACRONTE.   Hay honor
           cuerdo, recato prudente;
           que en una mujer ausente
           es éste el festín mejor.

ESPURIO.   ¿La puerta abierta, la casa   2050
           sin luz? ¿Qué es aquesto, cielos?

BRUTO.   De Tarquino en los desvelos
           temo que todo se abrasa.

COLATINO.   (¿Gente a estas horas, Lucrecia?   [*Aparte.*]
           ¿Ahora visita? ¡Ay, cielos!   2055
           Pero injustos son mis celos,
           cuanto mi sospecha necia.)

ACRONTE.   ¡Qué oscuridad!

COLATINO.   ¿Qué es aquesto?
           Toda la casa está oscura.

LUCRECIA.   ¡Julia! ¡Ay de mí sin ventura!   (*Dentro.*)   2060
           ¡Julia, una luz, presto, presto!

Sale LUCRECIA, *suelto el cabello y un puñal en la mano.*

LUCRECIA.   Oíd, rigurosos cielos,
           si al paso que tenéis ojos
           tenéis orejas; oíd,
           vosotros dioses, vosotros   2065

de la hospitalidad; ya
que el mundo a mi queja es sordo,
oíd el mayor delito,
oíd el más afrentoso.

(*Saca* JULIA *la luz, y vense todos.*)

JULIA.	Aquí está la luz.	
LUCRECIA.	¡Ay, cielos!	2070

No sois crüeles del todo,
pues ya me dais quien escuche
las querellas que os propongo.
Tito, Acronte, Casimira,
padre amado, amado esposo,   2075
veis aquí de la infeliz
Lucrecia el noble decoro
profanado; veis aquí
el vidrio de su honor roto,
el casto lecho ofendido,   2080
manchado con torpe lodo
en su pureza el armiño
que celó cándidos copos.
Ya no es Lucrecia, Lucrecia;
ya su vida es un asombro,   2085
ya su honestidad dio fin,
ya su recato, malogro.
Tarquino Sexto, Tarquino . . .
mas ¿cómo, cielos, le nombro
sin pedir contra su vida   2090
y contra mi vida y todo,
venganza a vuestra justicia
y rayos a vuestro enojo?
Este príncipe tirano,
este de la tierra aborto,   2095
este monstruo de crueldades,
este de torpezas monstruo,
llegó a mi casa esta noche;
y dando ingrato retorno
a la piadosa acogida,   2100
al hospedaje piadoso,

de sus lascivos deseos
dejó anegarse en el golfo.
Cautelas oí en sus labios,
libertades vi en sus ojos;   2105
fuerzas previno que admiro,
violencias logró que lloro.
Yo que no temía la muerte,
yo que el vivir tuve en poco,
yo que sólo a mi opinión   2110
y al honor atendí sólo,
caí en la mayor afrenta,
choqué en el mayor escollo;
que no contra la desdicha
recatos son poderosos.   2115
No porque en mí hubiese culpa;
que en un desmayo penoso
cadáver fui a su torpeza,
mármol frío, inmóvil tronco.
Pero ¿quién pudo alentar   2120
aquel sacrílego monstruo
a tanta maldad? ¿Fue acaso
mi honestidad? ¿Cómo, cómo
el más pernicioso vicio
halló en la virtud apoyo?   2125
Pero ¿cómo a los discursos
doy lugar cuando conozco
que estoy sin honra—que vivo
a las afrentas y al odio?
¿Adónde iré por venganza?   2130
Si al rey la pido, me estorbo;
me usurpo el tomarla yo,
de que me afrento y me corro.
¿Si al cielo? No lo merece
mi desdicha. Si a vosotros,   2135
a nuevas calamidades
os solicito y dispongo.
Y así—pues de mi fortuna
la infelicidad no ignoro,

y que con ella no valen   2140
ni favores ni sobornos;
pues el temor es sin fruto,
el consuelo es mentiroso,
la esperanza es lisonjera,
la dilación no es ahorro,   2145
la venganza no se excusa,
y en el ofensor no hay modo—
vengarme yo de [mí] misma
será venganza de todos.
Y este riguroso acero   2150
entre en mi pecho hasta el pomo;
lave con sangre esta mancha;
y en desdichados elogios
digan que de mis desdichas,
por menor la muerte escojo.   2155

(Dase con la daga.)

CASIMIRA.   ¡Oh nunca visto valor!
BRUTO.   ¡Oh caso el más lastimoso!
COLATINO.   Retirad el cuerpo muerto.
BRUTO.   Cese el llanto, empiece el ocio,
            y tenga fin la tragedia,   2160
            casta vida y amor loco
            de Lucrecia y de Tarquino;
            prometiendo al auditorio
            para la segunda parte,
            la venganza de su esposo.   2165

FIN

NOTES

CHARACTERS

CHARACTERS

Since *Lucrecia y Tarquino* is based largely on historical sources, most of the principal characters in the play are easily identifiable with historical personages. These personages include: Tarquino, *rey viejo* (Lucius Tarquinius Superbus, King of Rome, ca. 534-510 B.C.); the latter's three sons, Sexto Tarquino (Sextus Tarquinius, the ravisher of Lucretia), Tito (Titus Tarquinius), and Acronte (Aruns or Arruns Tarquinius); Colatino (Lucius Tarquinius of Collatia, surnamed Collatinus, husband of Lucretia and kinsman of the Tarquins); Lucrecia (Lucretia or Lucrece, daughter of Spurius Lucretius and wife of Collatinus); Bruto (Lucius Junius Brutus, also a kinsman of the Tarquins, who led the revolt against them and established the republic); and Espurio (Spurius Lucretius, father of Lucretia), whose name is sometimes given as Espureo in the text but is emended throughout to Espurio, as it appears in the cast of characters. Additional details on the characters are given in the Notes as the characters appear.

The names assigned to Acronte's and Tito's wives, Lavinia and Casimira, respectively, are of Rojas' invention. He also invented the names of the two leaders of Gabii, although there are numerous discrepancies throughout the text concerning the name of one of them. There is no confusion concerning Cloanto, who appears in the cast of characters and throughout the text under that name (and who seems to correspond to the historical Antistius, named by Dionysius of Halicarnassus, *The Roman Antiquities* [II, 449], as the Gabini leader whom Sextus Tarquinius killed). However, the name Marcio is listed in the cast of characters but no person by that name appears in the play. It is assumed that Marcio is a mistaken name for the other leader who is called Periandro during his brief appearance toward the end of Act I (vv. 598 and ff.) and Pericles throughout Act III. Since the latter name is used more consistently, Marcio and Periandro have been emended to read Pericles.

Julia, the name of Lucrecia's servant, is a common one for maid-servants in Spanish plays; and Fabio, Casimira's servant who later becomes Sexto Tarquino's companion although he does not formally enter his service, is a common name in the *comedia* for pages (Cf. William L. Fichter, ed., Lope de Vega, *El sembrar en buena tierra*, p. 157 and footnote 3).

Omitted from the cast of characters listed in the *suelta* are Tarquino's *acompaña-*

miento mentioned in the first stage direction, the soldiers of Gabii mentioned in 598, the *músico* whose arrival is announced in 853, and Paris and the *músicos* who are involved in a comical skit beginning in 1000 of Act II. In this skit, a kind of play-within-a-play, Paris is assigned speaking parts, sometimes under the name Paris, sometimes under the designation "I" *(Primero)*. The latter has been changed to read Paris everywhere it occurs.

SETTING

The action of the play takes place in Rome and its environs, and in or around the nearby towns of Ardea and Gabii. The word Gabii (which is the Latin, English, and Spanish form of the place name) should not be confused with the name of the inhabitants, who are called *gabios* in Spanish, and Gabians, Gabeans or Gabini in English. Of the anglicized forms, I have used the word Gabini.

ACT I

5. The same idea of unstinting loyalty to the king is expressed in the dialogue between Colatino and the king in Juan Pastor's *Farsa o Tragedia de Lucrecia.* Cf.:

> . . . siempre oy dezir
> vn dicho de buena ley:
> "por su ley y por su rey
> deuen los hombres morir."
>   (vv. 445-448)

12. *Senado.* In ancient Rome the Senate was the supreme council of the state. Originally it was advisory in nature and was composed only of patricians, but later it was extended to include plebeians. Rojas is taking liberties with history here, because there is no evidence that Sextus Tarquinius had anything to do with his father's seizure of the Senate.

13. *Cerráronme.* The appending of object pronouns to finite forms of the verb, especially when the verb stands at the beginning of a sentence, is common in literary or elevated style. However, the practice occurs so frequently in Rojas' plays that it may be said to be one of his favorite stylistic devices. Other examples occur in vv. 53, 79, 364, 411, 791, 799, 831, 839, 1003, 1812, 1919, etc.

15. For the use of the present participle after *en,* see Ramsey-Spaulding, para. 20.18.

16. *rastillos.* In the seventeenth century *rastillo* ("portcullis") was preferred to the modern form *rastrillo,* which is not recorded by Covarrubias.

18. Note the *equívoco* and the chiastic word order.

21-24. Fred W. Jeans, "An Annotated Critical Edition of Rojas Zorrilla's *Peligrar en los remedios*" (Unpublished Ph.D. dissertation, Brown University, 1957), p. 508, note to 1488, cites these verses as examples of Rojas' word order in which the negative precedes the noun subject rather than the verb. Usually this word order is found in hortatory constructions.

26. *has de abrir . . . puerta en mi pecho.* The circumlocution *abrir puerta en el pecho,* meaning "to wound" or "to kill," occurs frequently in Golden Age drama. Cf. Enrico's speech to his captors in Tirso de Molina's (?) *El condenado por desconfiado:*

> Cobardes sois: ¿no llegáis
> y puerta a mi pecho abrís?
> (*BAE,* V, 196b)

The same expression occurs again in vv. 42 and 46 of our play.

31. *quien* was formerly used for both the singular and plural, and could refer to persons or things. Also in 975 and 1377. See Bello-Cuervo, *Gramática,* para. 329.

35. Here *les* refers to *padres* but throughout the play, as in much Golden Age literature, *le* and *les* alternate freely with *lo* and *los* for the masculine accusative referring either to persons or things. Examples are found in vv. 53, 79, 364, 463, 464, 468, etc.

42. Note the play on the word *barbacana,* "barbican" (a military defensive work), and "grey beard" *(barba cana)* referring to the old man.

45. *menospreciando el orador.* The personal *a* was not required in the seventeenth century to introduce a personal direct object and was frequently omitted, as it is intermittently throughout this play. For other examples, see vv. 92 and 522.

56. *les diera muerte.* The *-ra* imperfect subjunctive was regularly used for the conditional perfect by the writers of the Golden Age, as it is throughout this play. Cf. *ardiera* in v. 62, *fueran* in v. 862, etc.

57. *Servio:* Servius Tullius, king of Rome who reigned ca. 578-534 B.C. He was not killed by Sextus Tarquinius but was dethroned and murdered on the orders of the latter's father Lucius Tarquinius, whose indelicate wife, Tullia, was the daughter of the murdered man. Tullia was also believed to have been implicated in her father's death. Servius Tullius is also referred to as Tulio in the play.

61. *si importara:* the imperfect subjunctive is often used for the pluperfect subjunctive in an *if* clause of implied negation. See Ramsey-Spaulding, para. 24.17 and Remarks, and Bello-Cuervo, *Gramática,* paras. 695, 696 and 720.

62. *Montecelio* is the Caelian Mount, one of the seven hills of Rome. *Capitolio* is the Capitol, the temple of Jupiter located on the Capitoline Hill, smallest of the seven hills. Rome was called *septicollis* by Late Latin writers, and was represented by a woman seated on a beast with seven heads.

63. This line has been cut off at the bottom of the page in the *sueltas* in both the B.N. and the B.M.

65. *Bruto*. Fearing the cruelty of his uncle Lucius Tarquinius, who had already murdered his brother, Lucius Junius Brutus was contented to act the dullard that his surname implies. Actually, however, Brutus was extremely clever, there being several anecdotes to attest to his intelligence and wit. It was he who at the death of Lucretia withdrew the knife from her breast and swore to deliver Rome from the rule of kings. After the Tarquinii were driven out, he was instrumental in establishing the Republic (ca. 510 B.C.) of which he and Lucretia's widower, Lucius Tarquinius of Collatia (Collatinus), were chosen consuls.

74. *Esquelino*: Esquiline Hill, another of the seven hills of Rome.

75. The *suelta* has *Iulio* but I have emended to *Tulio* since there is no record of a castle by the former name on Esquiline Hill. However, Dionysius of Halicarnassus states in *The Roman Antiquities* (II, 32) that Servius Tullius (or Tulio) built his palace on Esquiline Hill.

76. *escuadrón* is defined by Covarrubias as ". . . parte del exército, que por llevar forma quadrada se dixo esquadrón."

78. *de armas y temor fortalecido*. F. W. Jeans, ed. *Peligrar en los remedios*, p. 497, note to 1254-1256, points out that one of Rojas' favorite stylistic devices is to include both concrete and abstract elements within a series of parallel constructions.

87-90. *vitoria = victoria*. In the seventeenth century (and throughout our play) there was considerable vacillation over the spelling of words now written with *-ct-* or *-cc-;* hence, in 185 we find *efeto* but in 307, *efecto;* in 188, *conceto;* in 722, *objecto;* in 950, *satisfaciones,* etc. In some instances the popular pronunciation *(objeto, afición,* etc.) dominated over the learned forms. For a study of the pronunciation and orthography of these words, see Rufino José Cuervo, *Apuntaciones críticas sobre el lenguaje bogotano,* 6th ed. (Paris, 1914), paras. 828-830.

The conjunction *e,* used before words beginning with *i* or *hi,* is inadmissible in modern Spanish before words beginning with consonantal *y* and *i.* Cf. Bello-Cuervo, *Gramática,* para. 1283.

99-102. *Si arder . . . te admiraras*. Construe: "No dudo, gran señor, que te admiraras si le vieras arder, [y] si (a mirar atento) miraras la irreparable actividad del voraz elemento."—*admirarse,* "to be astonished;" *miraras = vieras.*—Since *dudo* is negative here, it does not govern the subjunctive, *te admiraras* being used as a substitute for the conditional perfect (as explained in 56, n.). For the use of *vieras* and *miraras,* see 61, n.

voraz elemento in v. 100 (and *intrépido elemento* in 103) refers to fire.

103 ff. This vivid description of the fire is a good example of Rojas' cultist manner for which many critics have censured him. Note the frequent change of tenses to add to the vivacity.

113-114. *recelo que temblaron*. When used with the meaning "to suspect" rather than "to fear," *recelar* was regularly followed by the indicative. Cf.:

> La reina Cleopatra allí
> Viene huyendo en un caballo
> Hacia este monte: recelo
> Que huye también como yo . . .
>
> (*Los áspides de Cleopatra, BAE,* LIV, 435a-b)

115-116. Construe: "Aquí la pesadumbre de un torreón titubea por (temor de) caer de su cumbre . . . ." Note the double meaning of *titubea* in keeping with the personalized tower.

119. *lo ha dudado:* here *dudar* is used in the sense of "to fear."

127. *se vio = fue.*

130. *vos.* Cf. G. T. Northup's note to his edition of *Three Plays by Calderón* (New York, 1926), pp. 331-332: "The subject of Spanish *tratamiento* is most complicated. Royalty expected the address, *Vuestra Majestad;* princes of the church, *Vuestra Eminencia;* nobles, *Vuestra Señoría.* Below these were four carefully distinguished grades: 1. *Vuestra Merced* (= *Usted*); 2. *él;* 3. *vos;* 4. *tú.* In case of doubt a fifth way was to couch the address in the third person singular without any subject pronoun. This was neither courteous nor discourteous. At least this is the doctrine laid down by Ambrosio de Salazar, *Miroir général de la grammaire en dialogues,* Rouen, 1614 . . . . The effect of the *vos* form of address, we are told, was to the Spaniard like a blow on the cheek . . . ." Note, however, that in this play (as in much Golden Age drama) *tú* and *vos* are used indiscriminately between equals, between master and servant, and among the king, his sons, and his subordinates. The *tú* form of address is much more prevalent, but the occasional use of *vos* seems to indicate no change in feeling on the part of the speakers. However, later in the act (vv. 369 ff.) Lucrecia uses *vos* consistently in addressing Fabio, who is not her own servant; and in Act II (vv. 1195 ff.) the king's sons address Lucrecia as *vos,* while she is careful to address them as *vuestras altezas.*

131-132. Note the defective rime.

149-152. These verses are a paraphrase of the words of Seneca's Oedipus in stating his philosophy of kingship: "Odia qui nimium timet regnare nescit; regna custodit metus." (Seneca, *Oedipus,* in *Seneca's Tragedies,* Loeb Classical Library [London, 1927], I, 486). Cf. Machiavelli's statement that the Prince, forced to choose between being loved or feared, should prefer the latter: "Nasce da questo una disputa: s'elli è meglio essere amato che temuto, o è converso. Repondesi che . . . è molto piu sicuro essere temuto che amato, quando si abbi a mancare dell' uno de' dua" (*Il Principe,* p. 76). Rojas, like many Italian and English writers of revenge tragedy, was fond of portraying ruthless, unscrupulous villains who conform (like the Tarquins) to the prototype of the Machiavellian intriguer. Cf. *El Caín de Cataluña* and *Morir pensando matar.*

162. *tal vez = a veces.* Also in 536 and 1823.

169-172. Cf. Lucretius, *De Rerum Natura,* IV, l. 637: "Quod ali cibus est aliis fuat acre venenum," and the Spanish proverb "Quien a veneno está hecho, sírvele de provecho" (F. Rodríguez Marín, *Todavía 10,700 refranes más* (Madrid, 1941).

180. *consérvese.* Indirect commands employing the subjunctive are usually preceded by *que* although it may be omitted, but as noted by Ramsey-Spaulding, para. 23.51, its absence pertains to an antique or elevated style.

188. *parto.* Cf.: "PARTO. Metaphoricamente se toma por la producción del entendimiento o ingenio humano, y por sus conceptos declarados u dados a luz" *(Dicc. de Aut.).*

192. *blasones.* "Blasón . . . Honor o gloria." *(Dicc. de Aut.)*

194. *repito.* As a legal term *repetir* means "to claim, demand." However, F. W. Jeans, ed. *Peligrar en los remedios,* pp. 426-427, note to 214, points out that Rojas occasionally uses *repetir* as an approximate synonym of *decir* or *hablar,* without indicating the repetition of something previously stated.

201. *Beso mil vezes tus pies:* "I thank you a thousand times." As noted by John M. Hill and Mabel M. Harlan, *Cuatro comedias* (New York, 1941), p. 132, *besar las manos* (and *besar los pies*) was originally one of the formalities of acknowledging vassalage, but by the seventeenth century it had become hardly more than a courteous phrase for expressing thanks or respect. Spanish dramatists frequently exploited the humorous possibilities of these phrases, as Rojas does in the following passage in which the *gracioso* Cuatrín greets the Prince of Sicily:

> Vuestra Alteza dé a Cuatrín
> De la caja de los dedos
> A besar su menor callo.
>
> (*Casarse por vengarse, BAE,* LIV, 107a)

And in *Los celos de Rodamonte* Baraúnda overwhelms his master with this verbal barrage (original spelling and accentuation retained) :

> Dexame besar, señor,
> la suela de tus çapatos,
> la plantilla, el cordoban,
> los capillos, los retazos,
> las puntadas, el talon,
> el ponlevi, y essos çancos,
> las orejas, y las cintas,
> y luego a besar me passo
> la soleta, el escarpin,
> la calceta, y en llegando
> al pie, te beso las plantas,
> las uñas, beso los callos,

los tobillos, el empeyne,
los dedos buenos o malos,
los juanetes, y los nervios,
tropezones, y embarazos,
porque aqueste besapies
exceda los besamanos.

(In Rojas' *Primera parte,* Act I, 164v.)

216. Bruto is punning on his name which means "brute" or "ignoramus." Rojas,
like many dramatists of the seventeenth century, was fond of punning on the name
of the *gracioso* in his plays. Bruto is by no means a *gracioso* but he is given some of
the functions normally assigned to that stock comic character. For other instances
of word play on the names of Rojas' servants, see my article, "A Note on Rojas
Zorrilla's Gracioso *Guardainfante,*" *Bulletin of the Comediantes,* VI (1954), 1-4.

216-224. The thought expressed here by Bruto recalls Cipión's speech in Cervantes' *Coloquio de los perros:* ". . . has de considerar que nunca el consejo del
pobre, por bueno que sea, fué admitido, ni el pobre humilde ha de tener presump-
ción de aconsejar a los grandes y a los que piensan que se lo saben todo. La sabiduría
en el pobre está asombrada; que la necesidad y miseria son las sombras y nubes que
la escurecen, y si acaso se descubre, la juzgan por tontedad y la tratan con menos-
precio" (ed. F. Rodríguez Marín, vol. 36 of *Clásicos Castellanos* [Madrid, 1943],
pp. 337-338). Cf. the proverb: "No hay rico necio ni pobre discreto."

220. *infelice.* The paragogic *e,* commonly employed by poets of the seventeenth
century to comply with metrical exigencies, is required here by the versification.

225. ff. Tarquino's speech derives largely from Malvezzi. The Spanish translation
(with original spelling and accentuation) is as follows:

Pone sitio Tarquino a los Gabios; pero rebatido en los assaltos, y perdida
la esperança de sujetarlos con el arte de que Roma se valia a sus empresas, pide
socorro a sus maldades, y haziendo complice a su hijo el menor, podemos
creer de las impiedades de Tarquino, que desta manera le animasse.

Avemos, o Sexto vanamente intentado la sujecion de los Gabios con la
violencia, no queda otro medio que el de la sagacidad, que es el segundo
instrumento de las grandezas; porque el primer lugar le tiene la fuerça, la
sagacidad es vtil para introduzirla a lo adquirido; la fuerça es necessaria para
conseruar lo que se adquirió por medio de la sagacidad; la vna de si misma
es frutosa, y la otra de poca vtilidad; es verdad que esta en mi concepto no
admite inferior lugar con otra alguna para el aumento de los Estados, si no
se reconociera, que es vna arma, cuyos filos se embotan la vez primera que
se vsa della. Quien se vale pues de la prudencia, será siempre bueno, no
siempre grande. No era necessario, que la libertad fuesse tan natural en los
hombres, si no huuiera de prouarse la violencia, o hallarse recurso en la

sagacidad para sujetarlos. Ningun pueblo se ganó, que no fuesse por medio de alguna accion; y esta merece siempre alabança, porque fue instrumento de la victoria. Concedo, que a los que intentan vna accion tirana, es conocido descredito; pero no a aquellos que la consiguieren. Es vna llama que a los principios ofende con el humo; y en los fines deleita con su resplandor, y a menores resistencias luze con mas claridad.

. . . Ve pues hijo mio, a los Gabios, da a entender, que huyes de mi, acusame de cruel, solicita su confidencia; gouiernate como compañero, si quieres llegar a ser señor (fols. 57v.-61r.).

240. Cf. "CANTAR LA GLORIA. Celebrar la acción heroica, e insigne de algún sujeto, que se aventajó a los demás" (Dicc. de Aut.).

241. Although as used here *tu valor* is a pronominal periphrasis for *tú,* it should be noted that *valor* had a variety of meanings in the Golden Age, among the most common being *nobleza.* Such is its approximate literal meaning here and in vv. 1305, 1779, 1867, 1915, etc.

245-248. Cf. Tarquin's speech to Sextus in Thomas Heywood, *The Rape of Lucrece:*

> Welcome, young Sextus! Thou hast to our yoke,
> Suppressed the neck of a proud nation,
> The warlike Sabines, enemies to Rome.
> *(Act III, scene 1)*

In v. 248 the *suelta* has *Reina* instead of *Roma,* an obvious error.

252+. *dándole de vestir.* Américo Castro explains this construction in a situation analogous to this in his edition of Rojas' *Cada qual lo que le toca* (Madrid, 1917), p. 199, notes 2 and 82. Lucrecia appears half-dressed, having put on those garments which ladies would normally put on upon arising. Julia then helps her put on the other articles of clothing she will wear.

258 ff. Although the ideas expressed here were quite common in the sixteenth and seventeenth centuries, Rojas was probably familiar with Fray Luis de León's *La perfecta casada* (1583) in which these and other precepts on the duties of married women are set forth. Lucrecia, although a pre-Christian pagan, certainly conforms to the high standards for the perfect wife advocated by the never-married Fray Luis. Cf. Lucrece's statement to her maid in Heywood's *Rape of Lucrece:*

> . . . it fits
> Good huswives, when their husbands are from home,
> To eye their servant's labours, and in care
> And the true manage of his household state,
> Earliest to rise, and to be up most late.
> *(Act III, scene 4)*

266. *Palas* is another name for the Greek goddess Athena (sometimes called Pallas Athena) whom the Romans called Minerva. Goddess of wisdom and war, Pallas directed the building of the ship Argo and of the Wooden Horse of Troy. She also engaged in peaceful pursuits, including the direction of household work such as spinning and weaving.

267. *galas*: cf. the definition given by the *Dicc. de Aut.*: "GALAS: Trajes, joyas y demás artículos de lujo . . . ." But in 268 *gala* may mean, in addition to "vestido alegre, sobresaliente, y costoso," "gracia, garbo y bizarría."

271. *nacarada pollera*. The *suelta* has *nacara pollera* but *nacara* (or *nácara*) does not make sense here and leaves the verse wanting in syllables. I have emended to *nacarada*, "pearl-colored."—*pollera* is defined by the *Dicc. Ac.* as a "falda que las mujeres se ponían sobre el guardainfante y encima de la cual se asentaba la basquiña o la saya." F. Rodríguez Marín states that the *pollera* was so called "por su semejanza con el cesto en que se crían los pollos" (in his edition of Luis Vélez de Guevara, *El diablo cojuelo,* vol. 38 of *Clásicos Castellanos* [Madrid, 1941], p. 29, n. 1). More information on the *pollera* and other feminine garments of the time can be found in José Deleito y Piñuela, *La mujer, la casa y la moda,* 2nd ed. (Madrid, 1954), p. 159 and *passim.*

The presence of this garment in Lucrecia's wardrobe is anachronistic, of course, but as H. A. Rennert says, "as regards the costumes worn by the players, there was no pretense to historical accuracy. All characters appeared in the Spanish costume of the time" (*The Spanish Stage in the Time of Lope de Vega* [New York, 1909], p. 104).

272. The *suelta* has *lconada,* an obvious misprint for *leonada.*

277. *despojos*, "botín del vencedor" (*Dicc. de Aut.*). Cf. V. Said Armesto, ed. Guillén de Castro, *Las mocedades del Cid,* vol. 15 of *Clásicos Castellanos* (4th ed.; Madrid, 1945), p. 38, note to v. 766: "Vale, en sentido figurado, cosa selecta, ofrenda, don, ornato, prenda exquisita, etc., etc."

298. *tenellas = tenerlas.* The assimilation of the final -*r* of infinitive endings to the *l* of the third person enclitic pronouns was frequent until the end of the seventeenth century. Here, *tenellas* rhymes with *dellas* in v. 299. Other examples of assimilation occur in 963, 978, 1595, etc.

318. Although *entrar en* is considered preferable in modern literary usage, *entrar a* was common in the seventeenth century and is still current in popular speech, especially in America. Cf. Hanssen, *Gramática histórica,* para. 693.

321-323. *Con licencia . . . presencia.* Construe, "Con (tu) licencia llego dichoso a tu pie y turbado a tu presencia; que ya, señora, escuché" (i.e., "I heard you tell Julia to have me enter").

327-328. *En ella . . . la rosa:* "the rose venerates in her the indignities (it suffers because of her greater beauty)."

347-348. *ahora . . . festín.* As is made clear in the following lines, Fabio means

that Lucrecia's presence, because of her femininity, will change the party from a
masculine *festín* (or, as in v. 355, a "bearded party") to a feminine *fiesta*.

349-352. These verses allude to the reputation that Italians had among Spaniards
as being effeminate and addicted to sodomy. There are numerous such allusions in
Spanish literature of the Golden Age, an example being found in Mateo Alemán's
Guzmán de Alfarache, where the appearance of the legendary monster of Ravenna
is explained as follows: ". . . el cuerno significaba orgullo y ambición; las alas,
inconstancia y ligereza; falta de brazos, falta de buenas obras; el pie de ave de
rapiña, robos, usuras y avaricias; el ojo en la rodilla, afición a vanidades y cosas
mundanas; *los dos sexos, sodomía y bestial bruteza:* de todos los cuales vicios abun-
daba por entonces toda Italia, por lo cual Dios la castigaba con aquel azote de
guerras y disensiones" (ed. Samuel Gili y Gaya, vol. 73 of *Clásicos Castellanos*
[Madrid, 1942], I, 71). For another example in Rojas, cf. the following passage in
Los celos de Rodamonte in which the *gracioso* Baraúnda passes several nationalities
in satirical review:

> Quando encuentro a los Franceses,
> me engabacho de sombrero,
> y quando encuentro a Españoles,
> soy arrogante y soberbio.
> Con Sicilianos como
> macarrón, con los Tudescos,
> por las plaças y las calles
> voy dando palo de ciego.
> Si a los Ginoveses sirvo,
> hago assiento por momentos;
> *y si a los Italianos*
> *trato de guardar mi assiento . . .*
>   (Rojas' *Primera parte, Act III,* fol. 183r.)

364-368. *De repente* as used here means "without preparation," as Fabio himself
tells us when he says he knows his role, "De repente . . . sin que de estudio se
trate." However, as will be seen later, the *comedia* Fabio will direct and act in is a
comedia de repente, a type of improvised dramatic skit which was popular at the
court of Philip IV. Cf. Emilio Cotarelo y Mori, *Luis Vélez de Guevara y sus obras
dramáticas* (Madrid, 1917), p. 57: ". . . gustaba el Rey de que representasen
comedias llamadas 'de repente,' porque de un asunto histórico ya conocido que el
Rey designaba, los mismos poetas, revestidos de los papeles de la comedia, improvisa-
ban lo que cada uno debía decir, a imitación de las comedias italianas llamadas *del
arte.* Los chistes, disparates, equivocaciones y apuros de cada actor eran la salsa
de esta empanada dramática, en que la libertad de conceptos y de lenguaje solía
pasar la raya de lo decoroso; pero que, so capa de burla carnavalesca, todos los

toleraban y aplaudían." See also my note, "More on 'The *Gracioso* Takes the Audience into His Confidence': The Case of Rojas Zorrilla," *Bulletin of the Comediantes,* VIII (1956), 15-16.

399. Cf. 201, n.—As noted by Ramsey-Spaulding, para. 23.34, *que* may be omitted before a noun clause, although such usage is rare except in business letters or when another clause in the same sentence begins with *que.*

400. *cortedad* is defined by Covarrubias as ". . . falta en lo que avíamos de ser cumplidos."

422-423. Self-rhyme is unusual in Rojas. Perhaps the second *libertad* should be *liviandad* but was misread by the copyist or printer.

428. For the use of the subjunctive after *como* meaning "since," see Ramsey-Spaulding, para. 23.25 and note.

429-436. *Porque . . . gracioso.* As noted by José F. Montesinos in his edition of Alfonso de Valdés, *Diálogo de las cosas ocurridas en Roma (Diálogo de Lactancio y un arcediano),* vol. 89 of *Clásicos Castellanos* (Madrid, 1928), pp. xvi-xvii and footnote 2, this type of satirical device was introduced into Spain by Valdés and other followers of Erasmus. It continued to be used by later writers, including seventeenth-century dramatists such as Lope de Vega, whose *Fuenteovejuna* contains a passage which begins:

> Andar al uso queremos:
> al bachiller, licenciado;
> al ciego, tuerto; al bisojo,
> bizco; resentido, al cojo,
> y buen hombre, al descuidado . . .
> (*BAE,* XLI, 635a)

446. More play on Bruto's name.

448+. Although the stage directions call for Espurio's presence in this scene, he does not make a single speech. Rojas is probably anticipating the final scene in the play by having Colatino, Espurio and Bruto witness here the omen of Lucrecia's death. In the final scene they also enter together and witness her suicide.

461-464. *Es el honor . . . le empañe.* Comparisons of honor with glass to indicate its fragility and sensitivity abound in Golden Age drama. For another example in Rojas, cf.:

> El vulgo es malicioso,
> Vidrio el honor . . .
> (*Casarse por vengarse, BAE,* LIV, 116a)

Although Rojas employs all the conventional rhetorical concepts relating to honor, he is noted for his original treatment of the honor code. Not only does he often have women, instead of their husbands, become the avengers of their outraged honor, but he also humanizes the inexorable law of vengeance. This subject is discussed at length by Américo Castro in his edition of *Cada qual lo que le toca,* pp. 183-197.—*vidro* in v. 461 (and elsewhere) is an archaism for *vidrio.*

465. A basilisk was a fabulous serpent, lizard, or dragon whose breath and glance were commonly considered fatal. For another example in Rojas concerning the penetrating power of the eyes of this creature, cf.:

> ¿No sabéis que si me indigno,
> Serán mi voz y mis ojos
> Para daros el castigo
> Si ella incapaz, rayo ellos,
> Inmortales basiliscos?
>
> (*La traición busca el castigo, BAE,* LIV, 240b)

As used here, *pueblo* is equivalent to *vulgo* which was often attacked by writers of the time. For Rojas, as for Lope de Vega and others, the *vulgo* was the irresponsible multitude whose malice could stain the honor of an innocent man (cf. vv. 466-468). For more on this subject, see Otis H. Green, "On the Attitude toward the *Vulgo* in the Spanish *Siglo de Oro,*" vol. IV of *Studies in the Renaissance* (New York, 1957), pp. 190-200.

467-468. *los ojos . . . se manche:* "the eyes of their (the *pueblo's*) malice stain it (honor) without its staining itself" (i.e., when an individual has done nothing to bring dishonor upon himself).—*los ojos de su malicia* seems to be a set phrase like *los ojos de su envidia,* noted in 1270-1272.

470. *de tan bajos quilates:* freely, "of such poor quality."—*quileres* in the *suelta* is an obvious error for *quilates,* "carats."

472. *contraste.* Covarrubias gives the following meanings for *contrastes:* "Desgracias, impedimentos opuestos, estorvos, embaraços."

495 ff. An ardent feminist, Rojas (like several other Golden Age writers, including Cervantes) believed that a happy marriage depended upon the free choice of the contracting parties, because:

> Cuando amor no es elección,
> no es posible que lo sea;
> que amor no es hijo del alma
> si en el alma no se engendra.
>
> (*La vida en el ataúd,* ed. R. R. MacCurdy, vv. 765-78)

For more on this subject, see Américo Castro, ed. *Cada qual lo que le toca,* pp. 185 ff.

496. *faltare* is the future (or hypothetical) subjunctive which has largely fallen into disuse except in legal terminology and certain set phrases. Cf. Hanssen, *Gramática histórica,* para. 591.

501. *vuestro respeto,* "my respect for you," another example of the objective possessive so common in literature of the period.

511. About the Roman deity, Hope, Covarrubias says: ". . . los gentiles, assí como hazían diosa a la fortuna, dieron deidad a la esperança y los romanos le edificaron templo en el foro olitorio, que era donde se vendían las cosas verdes o la verdura . . . . Pintavan y esculpían la esperança en diversas maneras, acompañada de algunos personajes . . .; acompáñala el amor o el buen cuento o sucesso y ándanle reboloteando encima los devaneos de entre sueños. . . ."

514-516. F. W. Jeans, ed. *Peligrar en los remedios,* pp. 416-417, note to 154, cites these verses among others in Rojas' plays as an example of the common stylistic device of the period of using a long adverb in *-mente* to modify a rather short adjective. As further noted by Jeans, a series of such phrases is sometimes more closely linked by converting the adjective of the first phrase into the adverb of the second, as is the case here.

532. *por divina* = *por ser divina.* The ellipsis of *ser* between *por* and an adjective (or a noun) occurs frequently in the Golden Age.

534-536. The idea that the words of a *loco* often contain great wisdom is a common one in literature. Cf. the proverb, "Los niños y los locos dicen las verdades" (J. Suñé Benages, *Refranero clásico* [Buenos Aires], 1941), p. 208, and also Lope de Vega, *La corona de Hungría:*

> Suelen decir cosas altas
> los locos algunas veces.
> (*Acad. N.,* II, 35b)

540. *campo.* Cf. Covarrubias: "CAMPOS se llaman los exércitos en campaña, y assí dezimos el campo nuestro, y el de los enemigos."

540+. *paloma.* Cf. Covarrubias: "La paloma dizen no tener hiel, y assí es símbolo del ánimo cándido y pacífico . . . . También es símbolo de los bien casados . . . ." The wounded dove is also, of course, a symbol for Lucrecia, who later in the play is referred to as a *"simple paloma."* A wounded or dead dove was a common omen in Golden Age drama for impending tragedy, occurring also (to mention only one other play) in Act III of Guillén de Castro's *La tragedia por los celos,* in which the dove symbolizes the king's mistress, Margarita, murdered on the orders of the jealous queen.

550. *plega.* Although in modern usage *plegue* and *plazca* are preferred forms of the present subjunctive of *placer, plega* was in general use in the seventeenth century and is still admissible (cf. Bello-Cuervo, *Gramática,* note 78). Rojas vacilates between *plega* and *plegue* for the present subjunctive (cf. *El Caín de Cataluña,* BAE, LIV, 292c: "Y plegue a los cielos . . ."); and for the imperfect subjunctive he employs (in addition to *pluguiera*) *pluviera* and *ploviera* (cf. Américo Castro's note in *Cada qual lo que le toca,* p. 205).

561-562. Note that Lucrecia distinguishes between the killing of the dove as a natural event and a falling star as a supernatural sign. Falling stars, meteors, and comets were believed to augur tragic events, including death. In an account of the funeral ceremonies of Philip IV, Pedro Rodríguez de Monforte, *Honras a Felipe IV* (Madrid, 1666), fols. 19 ff., relates that a comet in 1664 announced the king's death in the following year (cited by George Ticknor, *History of Spanish Literature,* 4th ed. [Boston, 1872], III, 316, footnote).

571-586. Lucrecia's speech (which ironically presages the circumstances of her own death) is worthy of a Christian martyr, but her contempt for death and the accidents of fortune also recalls the Stoic's creed. Cf. Seneca, *De Vita Beata* and *De Tranquillitate Animi.*

590. *epílogo* as used here with reference to a person means the "ultimate" or "maximum," a meaning not listed in most dictionaries. Cf. the devil's speech in Calderón, *El mágico prodigioso:*

> Yo soy, pues saberlo quieres,
> Un epílogo, un asombro
> De venturas y desdichas,
> Que unas pierdo y otras logro.
> (ed. James Geddes, II, vv. 263-266)

592. *Marte:* the son of Jupiter and Juno, Mars was the Roman god of war.

593. *han* in the *suelta* is an obvious error for *van.*

598. Note the *equívoco* involving the two different meanings of *falte.*

598+. *Periandro* in the stage directions of the *suelta* has been emended to *Pericles* because that is the name under which the Gabian leader most often appears, particularly in Act III. The inconsistency may be owed to the printer's reading of the abbreviation *Per.* as *Periandro* in this scene but *Pericles* elsewhere.

599 ff. As mentioned in the Introduction, Cloanto's speech derives largely from Turnus' address to the Latins in Malvezzi. The Spanish translation follows:

No es, o Latinos, Tarquino para introduzido entre los poco cautelosos, ni para admitido nueuamente entre los despreuenidos. No es soberuia la que causa la accion presente, y si lo es, se derige al Imperio, no al desprecio. El que tuuo por costumbre hazer de los compañeros, esclauos, intentará que los amigos sean vassallos. Con la misma industria de que se siruió otra vez para alcançar la Corona, sondea aora nuestro sufrimiento . . . .

Tarquino es muy grande para que en nuestro cuerpo sea menos que cabeça. Descomponese la harmonia de muchas vozes, quando vna sale más, aunque de su naturaleza sea mejor. Si vosotros introduzis vn león en vuestra Republica, disponeos a la obediencia de sus deseos . . . . Aquellos pues que no excedan

ventajosamente, se deue procurar que esten a la distancia que fuere possible,
o por lo menos, que no se acerquen a nosotros: escusar su enemistad; pero no
solicitarlos por amigos; que su conuersación no es compañia, para en serui-
dumbre; y quando no es enemistad conocida. Las figuras de estatura mayor,
se han de alexar de la vista, que dellas se goza mejor en la distancia (fols.
28r.-29v.).

600-601. *persuadiros al* = *persuadiros del*.

610-611. *que . . . introducirse quiera:* "who will be willing to adapt himself to
the equality . . . ."

615. *Turno.* The Latin chief Turnus Herdonius of Aricia denounced Lucius
Tarquinius in an assembly of the Latins, but Tarquinius had so ingratiated himself
with them that they judged his accuser guilty of plotting against his life and sen-
tenced him to be drowned. In *The History of Rome* (pp. 88-89), Titus Livy relates
in detail the *"blandos caminos"* employed by Tarquinius to win the good will of
the Latins, and also gives an extensive account of the accusations made against him
by Turnus Herdonius.

617-618. *Las figuras . . . mejores:* freely, "The greatest figures are better (when
viewed) from afar."

619-620. A somewhat similar idea but expressed in different terms is found in
Del rey abajo, ninguno:

> Tuve yo un padre muy fiel,
> Que muchas veces decía,
> Dándome buenos consejos,
> Que tenía certidumbre
> Que era el rey como la lumbre
> Que calentaba de lejos
> Y desde cerca quemaba.
>   (*BAE*, LIV, 4b-c)

639 ff. Note how closely Sexto Tarquino's speech follows the translation
of Malvezzi:

Veis aqui vn hijo, o Gabios, que libró del azero de su padre para cobrarse
en braços de sus enemigos, el me alimentaua qual victima para sacrificarme al
templo de la crueldad. Si los padres son enemigos, es necessario que los
enemigos sean padres.

Las crueldades con que ha ocasionado la soledad del Senado quiere exe-
cutar en su casa, no sabiendo ser padre de su patria, ni de sus hijos: su
codicia solo es de sangre, y si ama el señorio, ama en el, solo el poder quitar

las vidas a muchos: si desea el Imperio de las ciudades, es para hazerlas yermas; querria aun destruir la misma paternidad, solo porque tiene alguna semejança al Principado.

Su crueldad es vn fuego que abrasa lo que halla mas cerca de si para consumir, despues de las otras cosas aun a si mismo: busca la sangre de su hijo, y su feroz apetito relaxado en la de tantos ciudadanos, tiene ansias de auiuar su deleite en alguna extraordinaria crueldad.

Mirase con hijos, juzgalos semejantes a si; temelos porque aun a si propio se teme: la ciencia que tiene de sus delitos le inquieta: la imaginacion que solo le representa horrores, le acobarda, y el pensando cobrar nueuamente animo, se vale nueuamente del azero, a quanto mas se ensangrienta, por no temer a otros; se pierde menos el miedo a si mismo . . . .

Es mas seguro ser enemigo de Tarquino, que hijo, y para repararse de sus asasinios (sic), no ay seguridad como su enemistad.

No os admire, o Gabios, el ser yo hijo de Tarquino; no siempre los hijos se semejan a los padres: nace tambien de vn durissimo leño vn ternissimo gusano, si las cosas que se engendran, no se diferenciaran de las que engendran, no auria variedad de indiuiduos, sino diuersidad de especies, y el mundo como en priuacion de hermosura se quedaria siempre en el mismo estado.

Yo quiero, yo mismo quiero ser vengador de tantas maldades, assi lo determina el hado. Son los tiranos como la fruta, y como el hierro, que este produce de su misma sustancia el orin que le consume, y aquella los gusanos, que la corrompen, si fuera tan natural el amor a los padres, le conseruarian aun los animales: pero quantos hijos de adulterio se conocen que aman por padres a aquellos que no son? Si el me engendró, fue por aquel motivo instante de la sensualidad, o por incentiuo de la ambicion, o a lisonja del deleite, o a vanidad de su eternidad, y finalmente si fue deseo de vn hijo, no a mi por hijo. Pues a que obligacion deuo estar yo con aquel que sin conocerme, me deseó viuo, y conocido me procura muerto (fols. 62r.-65r.).

673. *asesinos*, "treacherous acts." Although the standard dictionaries do not list this meaning for *asesino*, cf. the following definition of *asesinar* given by the *Dicc. Ac.*: ". . . fig. Engañar o hacer traición a mansalva y en asunto grave a persona que se fiaba de quien la hace."

720. *abominados*. Cf. Covarrubias' definition of *abominar*: ". . . vale maldezir, aborrecer, huir y ofenderse de alguna cosa mala. . . ." Sexto is referring particularly to the precept that children should respect their parents (in Christianity, the Fourth Commandment).

721-728. Although Sexto Tarquino is feigning hatred toward his father, conflicts between father and son are common in Rojas' plays, being especially notable in *No hay ser padre siendo rey, El más impropio verdugo por la más justa venganza,* and *El Caín de Cataluña.*

757-758. The crow is noted for its cruelty towards its young. Cf. Covarrubias: ". . . El cuervo es símbolo del padre que deshereda sus hijos y los alexa de sí; porque no sólo se olvida dellos por todo el tiempo que están con el pelo malo blancos, pero después de criados los echa del nido y de todo el contorno; en esto parece assimilarse al águila."

766-768. *primero . . . hierro.* The complete sense is, "may the sword take my life rather than (that there be any basis in fact) for your statement to offend me (because of its truth)."

ACT II

809. *contrapeso.* Cf. Covarrubias: "la carga que se opone al peso y, por translación, vale pesadumbre que se recrece...."

810. The *suelta* has *les* instead of *los.*

818 ff. This anecdote is related in *The Roman Antiquities* of Dionysius of Halicarnassus, but Rojas, following Malvezzi, has reversed the roles of Thrasybulus and Periander. According to Dionysius' account, it was Periander who sought the advice of Thrasybulus, but "Thrasybulus returned no verbal answer to Periander, the tyrant of Corinth, by the messenger Periander once sent to him to inquire how he might most securely establish his power; but, ordering the messenger to follow him into a field of wheat and breaking off the ears that stood above the rest, he threw them upon the ground, thereby intimating that Periander ought to lop off and destroy the most illustrious of the citizens" (trans. E. Cary, Loeb Classical Library [Cambridge, Mass., 1949], II, 449).

A similar legend is told about the Aragonese king Ramiro II *el Monje* (1134-1137), who, acting on the advice of Fray Frotardo, the abbot of San Ponce, is said to have slaughtered all the nobles who constituted a threat to his power. This legend, known as *la campana de Huesca,* is referred to in the first act of *La adversa fortuna de don Alvaro de Luna,* which has been attributed both to Tirso de Molina and Mira de Amescua.

855-858. Dido (or Elissa Dido) the legendary founder and queen of Carthage, became a symbol of wifely fidelity when, in order to remain faithful to her deceased husband's memory, she committed suicide rather than marry a neighboring prince. In the *Aeneid,* however, Virgil gives as the reason for her death her unhappy love affair with Aeneas, who abandoned her. Cf. María Rosa Lida, "Dido y su defensa en la literatura española," *Revista de Filología Hispánica,* IV (1942), 209-52, 313-82; V (1943), 45-50.

864. The reference to Lisipo, a Greek sculptor who lived in the fourth century B.C., is anachronistic.

877. Perhaps *lo* was unintentionally omitted before *recatado*.

879-880. *está . . . vive*. As noted by Hanssen, *Gramática histórica*, para. 486, the use of a singular verb with a combination of two or more subjects is permissible "cuando los sujetos forman una unidad." Note also the singular adjective *conforme*.

—*Artificio* (spelled *arteficio* in the *suelta*) is defined by the *Dicc. de Aut.* as, "El primor, el modo, el arte con que está hecha alguna cosa."

883. *partes*: ". . . las prendas y dotes naturales que adornan a alguna persona" (*Dicc. de Aut.*).

890. *solemnizo*. As defined by Covarrubias, *solenizar una cosa* means "encarecerla y engrandecerla mucho."

892. *a pagar de mis bolsillos = a pagar de mi dinero*, defined by the *Dicc. de Aut.* as, "Phrase adverbial que se usa para afirmar, assegurar y ponderar, que alguna cosa es cierta, como afianzándola con su caudal." Cf. Caramanchel's remark about the name Don Gil in Tirso de Molina's *Don Gil de las calzas verdes:*

> El nombre es digno de estima,
> A pagar de mi dinero . . .
>   (ed. B. P. Bourland [New York, 1929], I, p. 28)

Note that Tito is supposed to be involved in the debate also, but he says nothing.

904 ff. Bruto's speech beginning here and those beginning in 908 and 916 are taken from Malvezzi's commentary on the dispute. In view of his interesting remarks on women, I shall quote the translation at length, although the second paragraph was not used by Rojas:

> Mientras duraua el sitio de Ardea, mas apretado por el tiempo que por los assaltos, cenauan vna noche Colatino, y otros con Sexto Tarquino y menos sobrios de lo que deuieran, se ocassionó entre ellos vna disputa discurriendo de las virtudes de sus propias mugeres; ninguno cedió al otro, haziendo mas estimacion de la suya; determinaron de ir al instante a verlas, para certificarse de la verdad. . . .
>
> Son verdaderamente los hombres faciles en el buen credito de mugeres, o procede del sobrado deseo, que como maridos tienen de que sean assi, o procede de la industria dellas en darnos a entender que son tales; o sea beneficio de la naturaleza, que nunca es defectuosa en las cosas de que necessitamos; porque juzgo, que si todas sus acciones llegassen a nuestra noticia como son, y no se creyessen muchas vezes diferentes de lo que son, seria forçoso, que mudando las leyes del honor, se les diesse a las mugeres mayor licencia, o en conseruacion de aquellas se les estrechassen estas con mas seueridad. Bien que se ha de aduertir, que aunque por desdicha del mundo son muy pocas las virtuosas, por fortuna de los indiuiduos cada vno presume, que merece la suya esta calidad: de que se infiere que gran parte de las felicidades del

mundo está a la opinion, consistiendo mas en el credito, que en su essencia.

No se deue pues hablar de las mugeres con menos modestia; el que dize mal dellas, se agrauia, porque es culpa del hombre, si la muger es mala. El que habla bien dellas, se expone a las assechanças, porque da ocasion al deseo. Querrian los hombres, que se conociesse el bien que poseen; pero muchas vezes mientras desean que se conozca, se arriesgan a que otro le goze. Es verdad, que el bien que es real de su essencia, es comunicable, y que si se comunica, se haze maior: pero el nuestro, que es vna mascara, o apariencia del bien, muchas vezes si se comunicase, se pierde. Las alabanças de las cosas, que estan en nosotros pueden ser de lisonja al deseo; porque no estamos sujetos a que nos las salteen, pero de cosas que no son propias se deue huir; porque nos las pueden robar; de ser alabadas nace el ser deseadas, y de ser deseadas, el perderlas. Admirome de aquellos hombres que se quexan de que son inuidiados, quando hizieron todas las diligencias para que los inuidien. Es verdad, que no ay felicidad que iguale a la possession de las cosas que merecen el aplauso de todos; pero assi como la Filosofia para contrapesar los afanes del entendimiento, destinó mayor honor a la mayor fatiga, assi la naturaleza para balançar los gustos de los sentidos puso mayor peligro en aquella parte, donde colocó mayor deleite (fols. 89r.-92v.).

915-916. *Todo bien . . . se aumenta.* Cf. John Milton, *Paradise Lost:* "Good, the more/ Communicated, more abundant grows" (Book V, vv. 71-72), and Fernando de Rojas, *La Celestina:* "Déxame tú á Pármeno, que yo te le haré vno de nos, é de lo que houiéremos, démosle parte: que los bienes, si no son comunicados, no son bienes" (ed. Julio Cejador y Frauca, vol. 20 of *Clásicos Castellanos* [3rd ed.; Madrid, 1945], p. 89).

925-928. *Los afanes . . . enemigos:* cf. Seneca (*Epístola XLI,* in *Epístolas de Séneca, traducidas y anotadas por Don Francisco de Quevedo Villegas,* in Quevedo's *Obras completas en prosa,* ed. Luis Astrana Marín [Madrid, 1945], p. 1506): "¡Qué cosa más necia que alabar en el hombre lo ajeno! . . . Nadie se ha de gloriar sino de sus cosas propias. . . . Alábele lo que ninguno puede quitarle ni darle, lo que es propio del hombre. Preguntas ¿qué es? Ánimo; y en el ánimo, la razón perfecta."

941. As noted by Ramsey-Spaulding, para. 23.58, *así* is sometimes used with the subjunctive to express an exclamatory wish.

942-943. *eso . . . averiguado.* As noted by Ramsey-Spaulding, para. 19.56, *para* is used with the past participle of transitive verbs to indicate things that ought not or cannot be done.

946-947. Again, these verses (and 955) make it clear that Tito is also involved in the debate.

957. *Defender* with the meaning "to forbid" is seldom used in modern Spanish.

963. *tener de* followed by an infinitive is often used in seventeenth-century writing as an equivalent of *haber de* or *tener que*.

974. The skit to be put on as part of the entertainment at Tarquino's palace is a burlesque of the mythological contest among the goddesses—a contest which provides a comical parallel to the serious contest to which Colatino, Acronte and Tito have just committed their wives. According to Homer's *Iliad*, Paris, son of King Priam of Troy, was called upon by Jupiter to judge a contest among the goddesses Hera, Athena, and Aphrodite (Greek names of the Roman goddesses Juno, Pallas and Venus). The winner was to be awarded a golden apple, furnished by the peevish goddess Discordia, on which were written the words, "To the fairest." Paris decided the prize should go to Venus because she promised to give him the most beautiful woman in the world (Helen of Troy), but his decision brought upon him the hatred of the other goddesses and led to the Trojan War. The apple came to be known as the Apple of Discord. Mira de Amescua and Guillén de Castro wrote in collaboration a play entitled *La manzana de la discordia y robo de Elena,* and Rojas is credited with the authorship of an *auto sacramental* entitled *El robo de Elena y destrucción de Troya.* The judgment of Paris also serves as the basis of a burlesque anecdote in Act I of *Troya abrasada (circa* 1640), written in collaboration by Juan de Zabaleta and Calderón. In it, as in our play, the *gracioso* also pokes fun at the physical deformities of the goddesses.

977-978. *¿Y que haya quien . . . representalla? Que* is often used to introduce elliptical clauses (especially interrogative and exclamatory ones) which assume an understood introductory clause such as *Es posible que . . .;* hence, the subjunctive *haya.* Cf. Bello-Cuervo, *Gramática,* para. 995 and *Notas,* p. 52.—For the meaning of *de repente,* see 364-368, n.

1007-1008. There are many anecdotes about Jupiter's excessive fondness for mortal women whom he liked to visit during their husbands' absence. One such anecdote is related in Alfonso de Valdés, *Diálogo de Mercurio y Carón,* vol. 96 of *Clásicos Castellanos* (Madrid, 1929), p. 12.

1017. *peliaguada.* Of this colloquialism (modern *peliagudo, -da*) the *Dicc. de Aut.* says: ". . . se dice del negocio u cosa que tiene grande dificultad en su inteligencia o resolución."

1024. *arañadura,* "scratching," "scratch." Although not listed in Covarrubias or the *Dicc. Acad.,* Santamaría, *Diccionario general de americanismos,* defines *arañadura* as, "Arañada, por arañamiento y arañazo."

1027. Paris means that the three goddesses are women of importance because they have carriages. Seventeenth-century writers frequently satirized their contemporaries' craze to own and ride in carriages which were considered a mark of distinction; however, even people of the lower class, particularly women, aspired to be seen riding or sitting in coaches in order to make an impression on others. In Rojas'

Lo que son mujeres Don Marcos asks who could be more annoying than those who rent a carriage on feast days to show off a new hairdo:

> ¿Que por ruar un peinado
> Día de Angel y san Blas,
> Alquile un coche no más
> A estar seis horas parado?
>
> *(BAE,* LIV, 209c)

For more on "la pasión feminina por los coches," see José Deleito y Piñuela, *La mujer, la casa y la moda* (Madrid, 1954), pp. 248-274.

1029. *jácara* means "underworld" or "ruffians" here. Cf.: "Llamábase *jácara* a una composición breve, que representaban uno o varios cómicos. Sus personajes eran casi siempre *gente del bronce*: los *jaques* o jácaros, de donde venía el nombre *germanesco* de aquel género de piezas: pícaros, ladrones, presidiarios y prostitutas. Representaban a lo vivo los hurtos, pendencias, atropellos, fechorías, escándalos y conversaciones del *hampa*" (José Deleito y Piñuela, . . . *También se divierte el pueblo* [Madrid, 1954], p. 207).

1033. *guardainfante* is defined by the *Dicc. de Aut.* as "cierto artificio muy hueco, hecho de alambres con cintas, que se ponían las mugeres en la cintura, y sobre él se ponían la basquina." See the article cited in 216, n.

1037. *hablalla* in the *suelta* is probably a printer's error for *háblala. La* instead of *le* is often used in the literature of the period as the feminine indirect object.

1041. *gentilhombre,* used as an adjective here, means "well-proportioned" Cf. Covarrubias: "*Gentiles hombres.* Los de buen talle y bien proporcionados de miembros y facciones. . . ."

1042. *ennanece. Ennanecer* (or *enanecer*) is not listed in standard dictionaries but is used here as an equivalent of *enanar,* "to make dwarfish."

1043. *garavato:* Cf. Covarrubias: "Es una especie de garfio de donde colgamos la carne o otras cosas. Dize un refrán: 'Estáse la carne en el garavato, por falta de gato,' aludiendo a las mugeres que son recogidas y castas, no tanto de su voluntad, como por no se les ofrecer ocasiones y por el natural recato y vergüença de no dar a entender su incontinencia. . . . Dezimos de alguna dama que tiene garavato, o porque corrompemos a sabiendas el término garbo, o porque con su beldad y gracias lleva tras sí a los galanes como con garavatos."

1045. *tomajonas:* "[Uno] que toma con freqüencia, facilidad, u descaro" *(Dicc. de Aut.).* See William L. Fichter's note in his edition of Lope de Vega's *El sembrar en buena tierra* (New York, 1944), p. 20 and footnote.

1048-1051. Fabio means that in the skit they are going to put on they should speak eloquently as if they were performing in a regular play.

1061-1062. *dió fin . . . nueve meses:* "[the play] ended after five months because it did not attain (or run) nine months"—a figurative way of saying that the play was born and died prematurely because it had a short run on the stage. Most Spanish plays in the Golden Age were performed only a few times in any one theater, although the more successful ones became part of the repertory of theatrical companies and were staged at various intervals. See H. A. Rennert, *The Spanish Stage in the Time of Lope de Vega* (New York, 1909), *passim.*

1064 +. *máscaras,* "masked persons." During the reign of Philip IV it was customary to enliven court festivals not only with *comedias de repente* but also with masques *(máscaras),* a type of festive dance in which the participants wore masks. Rojas is known to have taken an active part in the festivities at the court during the carnival season of 1638 when both *comedias de repente* and *máscaras* were held. See Emilio Cotarelo y Mori, *Luis Vélez de Guevara y sus obras dramáticas* (Madrid, 1917), pp. 57-59.

1066-1068. Cf. the proverb: "La mujer y la espada nunca ha de ser probada" (Correas).

1080. *Prima.* After first addressing Lavinia, who is his wife, Acronte then addresses his sister-in-law, Casimira, as *prima,* but this is not necessarily an indication that they are also cousins. It was customary for the king and other members of the royal family to use this style of address to the grandees of Spain (especially in letters), which may be the reason for the use of *prima* here.

1103. See 974, n. Of course, Fabio knows nothing of the contest between Lucrecia and the other women, although his speech forbodes the "tragic discord" to follow.

1106. *ya que . . . sueño*: "since sleep commends itself. . . ." *Ya que* is used with either indicative or subjunctive without noticeable difference in meaning (Ramsey-Spaulding, para 25.35).

1106-1107. *el sueño . . . es dueño:* the idea that sleep is the master of life is a commonplace in the Golden Age.

1135. *Penélope.* Wife of Ulysses in Homer's *Odyssey,* Penelope remained faithful to her husband during his twenty years' absence from the time he left for the Trojan War, although she was courted by many suitors who told her that her husband was dead. She has since been considered a model of wifely virtue among Greek women.

1143-1144. *anda . . . visita:* "our visit is turning up some counterfeit coins," a reference to Lavinia and Casimira who are "counterfeit" in the sense that they have not turned out to be as "true" as their husbands represented them to be.

1150. *Porcia.* Wife of Marcus Junius Brutus, one of the chief conspirators in the murder of Julius Caesar, Porcia committed suicide on learning of the death of her husband. *Artemisa* (Artemisia), queen of Caria and wife of Mausolus, built a lavish tomb (called mausoleum after the king) to enshrine her husband's memory. Both women became symbols of wifely fidelity, but the comparison of Lucrecia to them is anachronistic.

1151. This verse is cut off in the *suelta* in the B.N.

1171 ff. One of the closest parallels between Rojas' play and Moratín's *Lucrecia* occurs when Lucrecia, overjoyed on seeing her husband, fails to note the presence of Sexto Tarquino. Cf. Moratín:

COLATINO.   ¿No en el joven real has reparado
            De quien para honra nuestra venga al lado?
LUCRECIA.   La vista apacentada solamente
            En ti que eres su objeto, nada ha visto
            Sino es a ti; Tarquino, tú perdona
            La lícita pasión de una matrona,
            Del amor conjugal ejemplo casto.
                    (*BAE*, II, 105b)

1179-1182. *El alma . . . las cortinas*. Cf. Covarrubias: ". . . correr la cortina, sinifica algunas vezes hazer demostración de algún caso maravilloso y otro de encubrirle...."

1188. This verse is cut off in the *suelta* in the B.N.

1205. The second *la* is a direct object pronoun whose antecedent is *casa* in 1201; *honra* is a verb of which *grandeza* is the subject.

1212. *al sol . . . imita*. In the classical period the preposition *a* was frequently placed before any direct object noun (cf. Castro's edition of *Cada cual lo que le toca*, p. 214, n. 322).

1213-1214. For the belief that the sun created gold and other precious metals and stones, see Edwin S. Morby, ed., Lope de Vega, *La Dorotea* (Berkeley, 1958), p. 79, n. 65.

1225. This verse is cut off in the B. N. copy, and beginning here, two pages of text are missing from the *suelta* in the B. M.

1250. *Muestra*, "Hand (them to me)."

1256. *de*. For partitive *de*, see Hayward Keniston, *The Syntax of Castillian Prose* (Chicago, 1937), p. 266, paras. 20.8 and 20.81.

1259. The top edge of this verse has been cut off in the *suelta* in the B. N.

1263-1264. "*Comerse las manos tras una cosa . . .* denota el gusto con que se come un manjar, sin dejar nada de él" (*Dicc. Ac.*). In modern usage *de* is generally omitted after *tras* but it was frequently employed in the seventeenth century (cf. Bello-Cuervo, *Gramática*, para. 1191).

1268. *amor* = (*mi*) *amor*, a pronominal periphrasis for *yo*, hence, "I do not reply."

1270-1272. *Sexto Tarquino mira . . . con los ojos de su envidia*. Cf. Covarrubias: "INVIDIA. *Latine invidia, dolor conceptus ex aliena prosperitate; de in et video*, porque la invidia mira siempre de mal ojo...."

1280-1282. For the comparison of honor with glass, see 461-464, n.; cf. also the proverb, "La mujer y el vidrio siempre están en peligro" (Correas). Note that Colatino takes the breaking of the glass (which symbolizes Lucrecia's honor) to be a bad omen, a common one found in numerous Golden Age plays, including Lope de Vega's *Príncipe despeñado,* in which, incidentally, the rapist king is compared to Tarquino and his victim to Lucrecia.

1283. *Yo . . . daño:* "I have ended by causing you harm." It is possible that this sentence (which is obviously charged with dramatic irony) was originally intended to read, *"No he venido a haceros daño,"* but was miscopied.

ACT III

1361. This verse (after *No quiero*) is cut off at the top of the page in the *suelta* in the B. N.

1372, 1373. *distes, hicistes.* The second person plural of the preterite formerly ended in *-tes* (instead of *-teis*), and this ending continued to occur frequently in the seventeenth century (cf. Hanssen, *Gramática histórica,* para. 243).

1379-1380. *a desórdenes . . . perdición:* freely, "Ruin follows such disorders (as are caused when all men are equal)."

1381-1382. *hiciérades* and *fuérades* are archaic forms of *hicierais* and *fuerais,* imperfect subjunctives used to state a condition of implied negation (usually introduced by *si*) and to state the conclusion. As noted by Ramsey-Spaulding, para. 24-27, "In elevated style, the *si* of the if-clause may be omitted, in which case the conclusion begins with *que* or *y.*"

1393. *tarquinada* is defined by the *Dicc. de Aut.* as "Violencia torpe contra la honesta resistencia de alguna mujer"; but by extension it may mean any act of violence.

1394. The proverb referred to here is not clear, perhaps "Tal cabeza, tal sentencia."

1400. This line is cut off at the top of the page in the B. N. copy.

1404. The *cuento* to which Fabio refers is probably the anecdote related by Tarquino to Sexto about Periandro and Trasibulo (vv. 818, ff.), although Fabio was not present when it was told. However, he refers again to the same anecdote (vv. 1753-1756).

1415-1418. A *retruécano* in which Fabio is playing on two different meanings of *fuga,* "flight" and "fugue," and punning on *falsete* which means "falsetto" but is extended here to mean also a "false person."

1424. As used here, *despejo* means "Desembarazo, soltura en el trato o en las acciones" *(Dicc. Ac.).*

1475. The *suelta* has *sufrio.*

1485. Modern Spanish would require the conjunction *e* instead of *y.*

1487. *cuando = aun cuando.*

1496. *cantela* in the original text is an obvious mistake for *cautela.*

1516. *viva quien venza,* a proverb about which Correas says, "Por los que siguen al vencedor y de más fortuna, sin tener más ley que irse tras la prosperidad."

1518-1520. Note the difference in the words of Pedro Crespo (who is no "yes" man like Pericles):

> Al rey la hacienda y la vida
> Se ha de dar; pero el honor
> Es patrimonio del alma,
> Y el alma sólo es de Dios.
>
> (Calderón, *El alcalde de Zalamea,* ed. James
> Geddes, I, vv. 873-876)

1538. *me tengas = me tendrás.* The element of emotion inherent in strong affirmations permits the use of the subjunctive instead of the future indicative. Cf. Bello-Cuervo, *Gramática,* para. 463.

1585-1586. *que la hermosura . . . se aumenta.* Cf. Lope de Vega, *La hermosa fea:* "Porque resistido amor,/Con la privación se aumenta." (*BAE,* XXXIV, 357c).

1605. *es rayo amor,* one of the many comparisons involving love, persisted well beyond the Golden Age. Cf. Sexto Tarquino's statement in the elder Moratín's *Lucrecia:* "Es el amor de condición de rayo" (*BAE,* II, 104a).

1610-1612. *cuando fuera . . . llena:* freely, "Even if it (her house) were in burning Libya your doubt (of my willingness to go with you) would be insulting to me."

1614. *entienda. Entender* sometimes has the meaning "to be aware of" or "to notice," as in this case.

1625. Colatino is the subject of *espere* which is dependent upon *escribiré,* the latter having the force of a command.

1630. This line is cut off at the top of the page in the *suelta* in the B. N.

1631-1632. Sexto Tarquino's plan to occupy Colatino with military duties so that his designs upon his wife will be unhampered follows an old motif, being related to the Biblical story of David and Bathsheba. In Spanish literature the same motif is found, among other places, in Juan Manuel, *El Conde Lucanor* (Exemplo L, "De lo que contesció a Saladín con una dueña mujer de un su vasallo"), and in Lope de Vega, *Peribáñez y el Comendador de Ocaña.*

1637-1638. Although the continuity of the assonance (in *-ea*) of the *romance* meter is temporarily broken by the change in scene, no line seems to be missing, or, at least, the meaning is not impaired.

1644. *Mucho puede . . . casa pelea.* Cf. the proverb: "Mucho puede el pajarillo en su sotillo" (Rodríguez Marín, *Más de 21,000 refranes castellanos.*).

1651. *deja*. For the use of a singular verb with two or more subjects, see 879-880, n.

1660-1661. *a la ocasión . . . melena*. Cf. the proverb, "La ocasión asilla por el copete o guedejón," explained by Correas as follows: "Pintaron los antiguos la *ocasión* los pies con alas, y puesta sobre una rueda y un cuchillo en la mano el corte adelante, como que va cortando por donde vuela; todo denota su ligereza, y con todo el cabello de la media cabeza adelante echado sobre la frente, y la otra media de atrás rasa, dando a entender que al punto que llega se ha de asir de la melena, porque en pasándose la *ocasión* no hay por dónde asirla."

1670. *¡Mal haya, amén!* On the use of *haber* in optative sentences, see Bello-Cuervo, *Gramática*, para. 1091; on the use of *amén* to express emphasis, see W. L. Fichter's note in his edition of Lope de Vega, *El castigo del discreto* (New York, 1925), p. 250.

1673-1674. The sense implies that there should be a *no* before *vuelva* (and also before *sea* in 1675) but it can be avoided by translating, "Who will allay my suspicion that Tarquino may return to my house without me?" (i.e., "Who will assure me that Tarquino will not return to my house without me?").

1677. *franqueé*. Cf. the expression *franquear la casa*: "Es dar permiso y lugar, para que la reconozcan, y miren, y registren hasta las más ocultas piezas y rincones de ella. También se usa de esta locución para significar que uno, usando de cortesanía y atención, largó francamente a otro su propia morada, para que habitasse en ella el tiempo que le pareciesse" *(Dicc. de Aut.)*.

1700. *mi indignación* is a pronominal periphrasis for *yo*.

1712. The reference to Spanish horses is, of course, anachronistic.

1719. As Fabio says, it was a common practice among Golden Age dramatists to include word-pictures, often of horses, in their plays. Cf. F. W. Jeans, ed. *Peligrar en los remedios*. pp. 460-461, note to 684.

1722-1723. It is difficult to say which of the several references made by Horace to cypress trees Rojas is referring to, but perhaps the Roman poet's most famous passage concerning the cypress is that found in *Ad Posthumum de brevitate vitae* (*Odes* II, 14):

> Linquenda tellus et domus et placens
> Uxor, neque harum quas colis arborum
> Te praeter invisas cupressos
> Ulla brevem dominum sequetur.

The cypress was considered a symbol of death and was frequently mentioned by poets and dramatists to create a foreboding or tragic atmosphere—as, for example, in the last two scenes of Rojas' *Los áspides de Cleopatra* (*BAE* LIV, 440b, c): "Estos funestos cipreses" and "Volved a llorar, cipreses."

pintado . . . venga. Note the play on the two meanings of *pintado* "appropriate" and "painted" (i.e., "described").

1753-1756. As mentioned earlier (in the note to 1404), Fabio was not present when Tarquino related the anecdote about Periandro and the garden.

1767 +. *Espurio:* Spurius Lucretius, Lucretia's father, became a consul of the republic upon the death of Lucius Junius Brutus (Bruto) after the banishment of the Tarquins. Julia is included in the stage directions as being on stage but she does not enter until 1807 +.

1779-1780. *entiende que el príncipe nunca ofende:* cf.:

CLOTALDO.   . . . el que es natural señor
                   mal agraviarte ha podido.
ESTRELLA.   . . . . Yo sé
                   que, aunque mi príncipe ha sido,
                   pudo agraviarme.
CLOTALDO.   No pudo,
                   aunque pusiera atrevido
                   la mano en tu rostro.

                              (ed. Northup, Calderón, *La vida es sueño*, vv. 950-958)

The idea that the prince (or the king) does not "offend" is to be understood according to the Spanish code of honor. As noted by Ludwig Pfandl, *Cultura y costumbres del pueblo español de los siglos XVI y XVII* (Barcelona, 1929), p. 140: ". . . el rey gozaba de un privilegio especial en los casos de honor: una ofensa inferida por el rey no puede, ni debe ser considerada como deshonor. . . ." Américo Castro explains that, "Es probable que el no sentirse agraviado el particular por el rey, proceda de la imposibilidad de vengarse de aquél. . . ." "Algunas observaciones acerca del concepto del honor en los siglos XVI y XVII," in *Semblanzas y estudios españoles* [Princeton, 1956], p. 344). There are numerous examples in Golden Age plays, however, in which a vassal does feel offended by his sovereign's conduct (cf. Castro, *ibid.,* p. 344 ff.).

1792-1797. Cf. the statement made by Busto Tavera to the king in *La Estrella de Sevilla:*

                         Gran señor,
                   notable merced es ésta;
                   y si aquí por mí venís,
                   no es justo que os obedezca;
                   que será descortesía
                   que a visitar su rey venga
                   al vasallo, y que el vasallo

lo permita y lo consienta.
Criado y vasallo soy,
y es más razón que yo os vea,
ya que me queréis honrar,
en el alcázar; que afrentan
muchas veces las mercedes
cuando vienen con sospecha.

(ed. Alpern and Martel, I, vv. 723-736)

1807 +. Although *entrar* commonly means to leave the stage, it sometimes means to come on the stage, as in this case.

1820 ff. Rojas, like many seventeenth-century writers, often introduces the theme of sleep and dreams; however, contrary to the thought expressed by Calderón in *La vida es sueño*, Rojas usually holds that "los sueños son vida." Observe the following lines of Alboino's soliloquy in *Morir pensando matar*:

Engáñase quien dice
que en los sueños el cielo nos predice
el suceso contrario,
o el feliz, sucediendo de ordinario,
en la tiniebla fría,
soñar lo mismo que nos pasa el día;
de modo que, ya alegre o ya importuno,
su sueño se dispuso cada uno.

(ed. MacCurdy, vv. 1567-1574)

1824. *estado*. Cf. Covarrubias: "En la república ay diversos estados, unos seglares, y otros ecclesiásticos y déstos, unos clérigos y otros religiosos; en la república, unos cavalleros, otros ciudadanos; unos oficiales, otros labradores, etc. Cada uno en su estado y modo de vivir tiene orden y límite."

1837. *dispierta*. Rojas and his contemporaries vacillated between the spellings *dispierta* and *despierta* (as in v. 264). Cf. Rufino J. Cuervo, *Apuntaciones críticas sobre el lenguage bogotano* (7th ed.; Bogotá, 1939), para. 805: "Las vocales *i, u* seguidas de vocal suelen convertir en *i, u* la *e* y la *o* de la sílaba precedente." For other examples in Rojas, see F. W. Jeans, ed. *Peligrar en los remedios,* p. 489, note to 1048.

1850-1853. Coachmen were frequently satirized by seventeenth-century writers because of their alleged drunkenness, obstinacy, and recklessness. Cf. the statement of the *Compadre* (Leoniso) in Cervantes' *La cueva de Salamanca*: "No ay cochero que no sea temático; si él rodeara vn poco y saluara aquel barranco, y estuuieramos dos leguas de aqui" (ed. Schevill-Bonilla, *Comedias y entremeses* [Madrid, 1918], IV, 133). Coincidentally, in the same scene in Cervantes' *entremés,* Pancracio ironically extolls the virtues of his faithless wife, saying, "No ay Lucrecia que se llegue, ni Porcia que se le yguale; la honestidad y el recogimiento han hecho en ella su morada" (*Ibid.,* p. 134).

1884. *gandeza* in the *suelta* is an obvious error for *grandeza.*

1890-1891. Cf. the proverb in *Ecclesiasticus, I, 2* of the Apocrypha: "Who can number the sand of the sea, and the drops of rain, and the days of eternity?"

1896-1897. *Descubrir el campo* means "Reconocer, explorar la situación del ejército enemigo," or "Sondear a alguno, averiguar alguna cosa" (*Dicc. Ac.*).— *El campo . . . donde el que vence es vencido* refers to love. Rojas, like many Golden Age dramatists, liked to play on the meanings of *vencer* and *vencido*. In Act I of *Los áspides de Cleopatra,* he uses *vencer* and its derivatives more than fifty times, often in the sense of "to win victories in love" or "to be subdued by love." For other meanings of *vencer* in Rojas' plays, see F. W. Jeans, ed. *Peligrar en los remedios,* p. 405, note to 5 and footnote.

1899. *sucedire* in the original text is an obvious error for *sucediere,* the future subjunctive used to express the hypothetical future.

1918. This is a commonplace in Golden Age drama. Cf. Lope de Vega, *La Felisarda:*

> Que nunca donde hay amor
> tiene la razón lugar.
> (*Acad. N.,* V, 536a)

1919. For the position of the object pronoun in *hayla* (= *la hay*), see 13, n.

1952-1953. "*Dándose . . . de las astas . . . Tarquino.*" According to the *Dicc. Ac., darse de las astas* means "Batallar hasta estrecharse y mezclarse unos con otros." Fabio is referring to the opening lines of the anonymous ballad quoted in the Introduction.

1954-1957. *Amor . . . clavel:* freely, "Love spurs me on, because in love an honorable suit has always enjoyed freedom granted by the disdain (uttered by) a pretty woman's mouth." The meaning is simply that a lover has the license to press his suit when he is disdained by his lady.

Clavel is a conventionalism for a woman's lips or mouth, one of several comparisons of feminine beauty with flowers which Spanish poets and dramatists borrowed from Petrarch and other Italian poets. On this subject, see Fichter's edition of Lope de Vega, *El sembrar en buena tierra,* pp. 167-168, and J. G. Fucilla, "Concerning the Poetry of Lope de Vega," *Hispania,* XV (1932), 223-242.

1968-1969. Another poetic commonplace popularized by Petrarch. Although Sexto Tarquino has been addressing Lucrecia as *vos, su (boca)* is used in v. 1968 instead of *vuestra (boca)* to conform to the pronominal periphrasis *una belleza* in v. 1695.

1990. *Pisar sombras* is one of the favorite images of Golden Age dramatists to

arouse premonitions of death and to create the tragic mood. Cf. the beginning of
Menón's speech in Part I of Calderón's *La hija del aire:*

> Pisando las negras sombras,
> imágenes de mi muerte . . .
>
> (ed. Luis Astrana Marín, Act III, p. 602)

1992. *perdiéndose.* Either this is an error for *perdiéndome* or *el sentido* must be
understood as the subject of the unexpressed auxiliary *va (perdiéndose)*.

2053. *abrasa.* As noted previously, the indicative may be used instead of the subjunctive when *temer* is affirmative (Ramsey-Spaulding, para. 23.7 and Remark).
The ending in *-asa* is required here by the rhyme.

2054. This question is not addressed to Lucrecia, who is not yet on stage, but is
said in an aside.

2062 ff. Lucrecia's final speech derives from Malvezzi, but offers an excellent
example of how Rojas synthesized and versified the prose material. The Spanish
translation of the passage (and the introductory paragraph) is quoted here in its
entirety:

> Parte Tarquino tan alegre como triunfante; queda Lucrecia tan triste
> como llena de dolor, embia a llamar a su padre, y a su marido; viene Spurio
> Lucrecio acompañado de Publio Valerio y Colatino de Lucio Iunio Bruto;
> cuentales el caso, y despues del, assistida de sus pesares, me persuado añadiesse
> estas razones.
>
> Y que auia de hazer esta infeliz Lucrecia? Si se escogia el morir por con-
> seruarse su honestidad, vosotros creeriades, que su muerte auia sido por no
> auer aguardado. O durissima ley de la opinion: que aun no saluas a la misma
> inocencia; tu origen no es possible que fuesse en el cielo, sino en los profundos
> abismos del infierno.
>
> Yo que intentaua que nadie ignorasse mi honestidad, he cuidado mas de la
> gloria, que de la opinion misma, y procurado la fama de honesta, he caido
> en la infamia de deshonesta. Yo siempre miré a la muerte como al mayor
> de los males, y la juzgaua reparo a todos los infortunios; no temia cosa alguna,
> porque no temia el morir; y he venido a estado tal, que ha sido forçoso elegir
> la vida para saluar la reputacion, y esta la he perdido por auer conseruado
> la vida.
>
> Quiero morir, sino en reparo de lo sucedido, en preuencion de lo que me
> puede suceder; pero si me doy la muerte, daré a entender que yo he creido que
> tengo parte en el error, y direis, que mi mala conciencia es mi verdugo: si viuo,
> direis que el deseo de viuir grangeó mi consentimiento. O mas que todas
> infeliz Lucrecia! cuya inocencia no vale a hazer justa, ni la muerte, ni la vida.

Esta alma, o Colatino, cuyas delicias era la castidad, aborrece aquel cuerpo que está contaminado, y para que toda sea tuya sola, no puede sufrir que tenga ser aquella parte, que no puede ser ya sola tuya. No me rindio a mi aquel facineroso hombre; no era aquella Lucrecia: era vn cadauer; que donde falta sentimiento, no ay alma. El pecado es hijo de la voluntad, no del cuerpo; donde no ay permission, no ay culpa; pero yo me juzgare tambien digna de muerte, si aquel me huuiera solamente deseado; y me llamo culpada, bien que sin culpa, solo porque le agradé.

O Bellezas, perniciosissimos deseos de la desorden de nuestro entendimiento! No seruís a vuestro dueño, sino para ser deseadas de quien no os possee; fragilissimas y perecederas vanidades del cuerpo, que solo seruís a afear las eternas hermosuras del alma, o sois instrumento del peccado, o le disponeis por medio vuestro.

Pero de que se alentó aquel monstruo a maldad tanta? Fue acaso de mi honestidad; que le aduirtió incomparable a las otras? O santissima virtud! que has venido a ser incentiuo a la lasciua, y en vez de ser reparo a los deseos, eres estimulo a los furores, y precipicio a las violencias.

El coraçon de aquel, donde se aluergan crueldades, que no saben exercitarse, sino en la inocencia; es tambien hospedage de deleites, que no saben desear sino la honestidad.

La possession de aquello no desean los Tarquinos, no es su mayor deseo; donde no obra la violencia, no se satisfaze su apetito, y son a guisa de rayos, que haze mas bateria donde encuentran mayor resistencia. A que parte podrá boluerse para su vengança esta desdichada? Por ventura a la casa del Rey, que me ha ofendido? o a mi misma casa, que está ofendida de mi? A vosotros Dioses de la hospitalidad, a vosotros inuoco; pero para que os inuoco si lo aueis permitido? Vengadme vosotras Deidades del infierno; pero para que os llamo, si le aueis ayudado? Yo vengaré a mi misma de mi misma, y tomaré mayor vengança de mi enemigo con la muerte, que con mi vida.

Quiero morir, no para hazer menores mis culpas, sino para hazer mayores las suyas; no porque yo he pecado, sino para mostrar al mundo, que no estuuo sujeta a la sensualidad quien voluntariamente se priua de sentir.

Quiero morir, por no viuir en tiempos de tantas calamidades, que hazen vergonçosa la vida, y infeliz el auer nacido. Mi sucesso hará faciles vuestros intentos, y mis venganças, y yo no viuiendo exemplo de deshonestidad a las mugeres, moriré exemplo de fortaleza a los hombres.

Assi dixo, y puesto vn puñal al pecho, cayó muerta sobre el.

Llorauan el padre, y el marido inutiles lagrimas sobre el cadauer de Lucrecia; hazian compassible aquel caso, que no siendo natural, deuia antes incitarles al enojo, y animarles a la vengança, que mouerles a la misericordia, y bañarles en el llanto. Pero Bruto, castigador de aquellas lagrimas, saca el cuchillo de la herida, y dizeles, que juren de desterrar los Tarquinos: no habla de darles la muerte.... (fols. 98r.-103r.).

2082. References to the ermine as a symbol of purity and spotlessness abound in Golden Age drama as well as in other literatures. Cf. Covarrubias: "Dicen deste animalito que si alrededor de donde tiene su estancia lo cercan de barro, estiércol o cosa que se aya de ensuziar, se dexa primero tomar del caçador que manchar su piel. . . . Para encarecer la blancura de alguna cosa dezimos ser blanca como un armiño."

2087. Understand *dio* as the verb; i.e., "ya su recato (dio) malogro."

2103. *anegarse en el golfo* (or *en el mar*) occurs frequently in the literature of the period, meaning "arrebatarse de un pensamiento o efecto" (Ramón Caballero, *Dicc. de modismos* [Buenos Aires, 1942], p. 561).

2148. The omission of *mi*, needed to complete the sense as well as the verse length, is obviously an error.

2152. The idea that a stain on one's honor could only be cleansed with the blood of the offender not only is seen in many *comedias* but also in the *romances*. Cf. *El frayle fingido:*

> Que las manchas del honor
> se curan, limpian y asean
> con sangre, que es el remedio
> de más importancia y fuerza.
>
> (Agustín Durán, *Romancero general,* II,
> *BAE,* XVI, p. 412)

Rojas, who often departed from the conventional solutions to honor offenses, has Lucrecia (in keeping with history) cleanse her dishonor with her own blood.

2163-2165. As far as is known, Rojas never got around to writing the second part of his play promised in these concluding lines. The seventeenth-century manuscript in the B. N. (No. 12974[46]) which Paz y Melia tentatively identified as Rojas' *Lucrecia y Tarquino* cannot be the sequel to Rojas' play. Not only are the style and dramaturgy of this anonymous play uncharacteristic of Rojas but the versification (78.3% *romance* and 21.7% *redondillas*) could not be his. It is probable that the unknown author was a late seventeenth-century imitator of Calderón, whose name is mentioned in the play (Act I, fol. 28).

APPENDIX

Agustín Moreto y Cabaña,

BAILE DE LUCRECIA Y TARQUINO

Of uncertain date but presumably written several years after Rojas' tragedy is Moreto's *baile burlesco*. To judge by the reference to *las reinas* in the closing lines, it apparently was performed at a court festival to entertain the royal family.

Moreto's *baile* cannot be considered to have been composed as a parody of Rojas' play but rather as a gay burlesque of the general theme of the rape of Lucretia. It is one of several *bailes entremesados* written by Moreto, but in theme and technique it most resembles *El rey don Rodrigo y la Caba* (printed in *Autos sacramentales, con cuatro comedias nuevas y sus loas y entremeses,* Madrid, 1655). Both *bailes* follow the same general plan. Most of the dramatic dialogue is given in *redondillas,* the third and fourth lines of most quatrains consisting of snatches quoted from well-known ballads, popular songs or proverbs.

Although Moreto's *Baile de Lucrecia y Tarquino* has never been printed [Cf. R. de Balbín Lucas, "Tres piezas menores de Moreto inéditas," *Revista de Bibliografía Nacional,* III (1942), 103-08], it has been edited by Robert J. Carner, "The *Loas, Entremeses* and *Bailes* of D. Agustín Moreto" (unpublished Ph.D. dissertation, Harvard University, 1940). In view of the existence of Professor Carner's edition, I have limited myself to making a verbatim transcription of the partially modernized copy (in the personal collection of Don Arturo Sedó of Barcelona) of the eighteenth-century manuscript located in the Biblioteca Nacional (Ms. 1629). One word of explanation is in order: the word *sic* has been written in the margin of the manuscript several times by the copyist, several times by another hand. I have retained it whenever it occurs.

BAILE DE LUCRECIA Y TARQUINO

(DE MORETO)

PERSONAS

LUCRECIA	COLATINO
1ª MUJER	VEJETE
DUEÑA	MÚSICOS
TARQUINO	[OTROS]

MÚSICA.

Tras Lucrecia, a su pesar,
Tarquino, que su amor traza,
allá va a buscar la caza
a las orillas del mar.

    (*Sale huyendo* LUCRECIA, *y* TARQUINO *tras ella*
        con corona y cetro.)

Viendo que huye su violencia,   5
esto la dice el tirano
con el sombrero en la mano
y acatada reverencia.

TARQUINO. ¿Por qué huyes con tal desvío?
LUCRECIA. De tu furia huyendo voy.   10
TARQUINO. Hagamos las paces hoy,
enojado dueño mío.
LUCRECIA. No quiero paz con malicia,
porque eres para esta lid
"Periquillo el de Madrid,   15
aquél que cuando acaricia . . ."

TARQUINO.	(Pues ésta se me hace fuerte, *(Aparte.)*
	por fuerza pienso rendilla.)
LUCRECIA.	"Malograda fuentecilla,
	detén; y en tu curso advierte . . ." 20
TARQUINO.	No tienes que resistillo.
LUCRECIA.	¿No hay quien valga esta cuitada?
MÚSICA.	*"Una dueña entapizada*
	de caniquí y vivatillo." (sic)

(Sale una DUEÑA *y se pone en medio de los dos.)*

LUCRECIA.	¡Ay, dueña mía! ¿Qué haré? 25
DUEÑA.	¿Quién alza esta carambola?
TARQUINO.	"Desdeñosa está Bartola";
	señores, yo no lo sé.
LUCRECIA.	No tal; que él se finge lerdo
	porque huyo de sus rigores. 30
DUEÑA.	Si está loco con favores,
	hazle con desdenes cuerdo.
TARQUINO.	¿Qué haré, dueña, (que me muero)
	para ablandar su rigor?
DUEÑA.	Todo lo puede el amor; 35
	todo lo alcanza el dinero.
TARQUINO.	Dala esta bolsa infeliz.
DUEÑA.	¿Cuánto tiene?
TARQUINO.	Medio real.
DUEÑA.	"Pues siendo tan liberal,
	date, date, Luis Ortiz." 40
LUCRECIA.	Yo amo a mi esposo. ¿Qué haré
	si tanto el rey me regala?
DUEÑA.	"Guarda corderos, zagala;
	zagala, no guardes fe."
LUCRECIA.	¿Has mirado si eso es oro? 45
DUEÑA.	Oro parece en el tiento.
LUCRECIA.	"Determinada me siento
	a aborrecer lo que adoro."
TARQUINO.	Pues trátame de querer.
LUCRECIA.	No sabré teniendo honor. 50
TARQUINO.	"A los principios, amor
	enseña mucho a querer."
LUCRECIA.	Yo no quiero camarada.
TARQUINO.	Pues yo he de besar tu mano. *(Cruzado.)*

LUCRECIA.	¿Qué es lo que haces, tirano?	55
TARQUINO.	¡Ay, Dios, que la tiene untada!	
LUCRECIA.	¿Qué has hecho, rey estupendo,	
	sin haberme dado un coche?	
TARQUINO.	"En tus brazos una noche	
	me soñé feliz durmiendo."	60
LUCRECIA.	Pues ya que de mí eres dueño,	
	¿por qué hace ascos tu osadía?	
TARQUINO.	"Despertóme el alegría,	
	y volvióme en llanto el sueño."	
LUCRECIA.	De que mi honor he lavado	65
	sea este puñal testigo.	
TARQUINO.	Cayó mi mula conmigo;	
	perdí mi puñal dorado.	
DUEÑA.	¿Ya que con él te acomodas?	
LUCRECIA.	Pues me veo deshonrada,	70
	a darme una puñalada.	
TARQUINO.	Pues ahí me las den todas.	
LUCRECIA.	Muerta soy como la rosa.	
DUEÑA.	¡Ay, Dios mío, que se mata!	
TARQUINO.	Cerca está de ser ingrata	75
	la que sabe que es hermosa.	
DUEÑA.	¿Qué haces, rey? A huir arranca.	
	Mira que te han de prender.	
TARQUINO.	De sus ojos se fue ayer	
	el galán de Mariblanca. (Vase.)	80
DUEÑA.	¡Dueñas, criados; aprisa	
	acudir todos a pares!	
MÚSICA.	Venid, pastores de Nares,	
	a mirad de Francelisa. (sic) (Cruzado.)	
MUJER 1ª.	¿A quién han muerto, mujer, [Sale.]	85
	que gritas de esa manera?	
DUEÑA.	"A Juana la pescadera,	
	vecina de Santander."	
OTROS.	Si ella no murió por fea,	
	aquí venimos en balde.	90
MÚSICA.	A las puertas del alcalde,	
	los zagales de la aldea.	
MUJER 1ª.	Para que le haga protestas,	
	¿no llamaremos un fraile?	

LUCRECIA.	No, amigas; hacedme un baile,	95
	como es costumbre en las fiestas.	
DUEÑA.	Pues Lucrecia se ha muerto agora,	
	grigirigay;	
	en su puerta bailemos todas,	
	grigirigay. *(Repiten.)*	100

(Sale COLATINO.*)*

COLATINO.	Muy gran llanto hacen aquí;	
	que hay algún daño imagino.	
DUEÑA.	Colatino, Colatino,	
	¿dónde vas, triste de ti?	
COLATINO.	Pues ¿por qué me hablas así?	105
	Declárate, dueña hermosa.	
DUEÑA.	Que la tu querida esposa	
	muerta es; que yo la vi.	
COLATINO.	Veréla con atención.	
DUEÑA.	Sí, que es posible que duerma.	110
COLATINO.	Dícenme que estás enferma,	
	vida de mi corazón.	
LUCRECIA.	Indispuesta estoy, mi bien.	
COLATINO.	¿Cómo te hallas, si estás tal?	
LUCRECIA.	Como quien tiene algún mal,	115
	o como quien quiere bien.	
COLATINO.	Dime, porque yo le trague, *(sic)*	
	quien te dió esa puñalada.	
LUCRECIA.	Yo me dí por ser honrada.	
COLATINO.	Quien tal hace, que tal pague.	120
DUEÑA.	Ya tu dueño con los godos	
	viene a darte el desquite.	

(Sale el VEJETE *con acompañamiento.)*

VEJETE.	"Venganza, griegos, repite	
	Aquiles, blasón de todos."	
TODOS.	¡Muera aqueste rey cuitado!	125
VEJETE.	Yo he de ir a echarle en un pozo.	
COLATINO.	"Garcilaso, sois muy mozo,	
	y en las guerras poco usado."	
DUEÑA.	Pues calla; que un alguacil	
	ya le traerá preso a la villa.	130

(*Sale* TARQUINO.)

TARQUINO.	"Otra vez salió Juanilla,
	que me te te me te abril." *(sic)*
COLATINO.	Tirano, siendo doncella
	sin haberla dado cosa,
	¿por qué forzaste a mi esposa?
TARQUINO.	¿Yo? No tal; dígalo ella.
COLATINO.	Mujer, di aquí quien lo hizo,
	para que al instante muera.
LUCRECIA.	"Añasco el de Talavera,
	aquel hidalgo postizo."
COLATINO.	Bastantes señas son éstas.
TARQUINO.	Miente, y os está engañando.
LUCRECIA.	"Bien te acuerdas, rey Fernando,
	que me diste en unas fiestas."
TARQUINO.	Miente, y aquí lo veréis.
	¿Yo cuándo te dí, tirana?
LUCRECIA.	"Un lunes por la mañana,
	antes que diesen las seis."
COLATINO.	Tu muerte ha de ser mi palma.
TARQUINO.	Decidle antes un responso.
MÚSICA.	*Don Alonso, don Alonso,*
	Dios perdone la tu alma.
COLATINO.	Todos a mi imitación
	dadle con un puñalito,
	"y dábale con el azadoncito,
	y dábale con el azadón."
TARQUINO.	Ya estoy hecho un barrero.
	¡Muerto soy; Dios me valga!
COLATINO.	Pues si te mueres de eso,
	ponte una tela de araña.
	"¡Trébole, qué venganza tan linda!
	¡Trébole, qué donosa venganza!" *(Repiten.)*
TARQUINO.	Ya estoy en la otra vida.
COLATINO.	Si en la otra vida te hallas,
	cásate con mi esposa.
TARQUINO.	Ésta es mi mano.
LUCRECIA.	Daca.
	"¡Trébole, qué venganza tan linda!"

Line numbers: 135, 140, 145, 150, 155, 160, 165

TARQUINO.   "¡Trébole, qué donosa venganza!"
LUCRECIA.   Por fin del baile
                   de las reinas la fama, *(sic)*   170
                   porque este ingenio lleve
                   lauro, victoria y palma.
TARQUINO.   Trébole, que las reinas merecen . . .
LUCRECIA.   Trébole, de todos alabanzas.

INDEXES

INDEX OF ANNOTATED WORDS AND MATERIAL

INDEX OF PERSONS AND TITLES

(The titles of scholarly works are not listed.)